中华人民共和国法律释义丛书

全国人民代表大会常务委员会法制工作委员会　编

# 中华人民共和国审计法释义

主　编：安　建（全国人大常委会法制工作委员会副主任）

副主编：何永坚（全国人大常委会法制工作委员会经济法室副主任）

撰稿人：刘左军　杨合庆　赵　雷　蔡人俊　马正平

法律出版社

**图书在版编目(CIP)数据**

中华人民共和国审计法释义/全国人大法工委编
北京：法律出版社，2006.4(2018.11 重印)
(中华人民共和国法律释义丛书)
ISBN 978-7-5036-6289-8

Ⅰ.①中… Ⅱ.①全… Ⅲ.①审计法-法律解释-中国 Ⅳ.①D922.275

中国版本图书馆 CIP 数据核字(2006)第 028310 号

**中华人民共和国审计法释义**
**ZHONGHUA RENMIN GONGHEGUO SHENJIFA SHIYI**

全国人大法工委 编

责任编辑 麦 锐
装帧设计 李 瞻

**编辑统筹** 法规出版分社
**出版** 法律出版社
**开本** 850 毫米×1168 毫米 1/32
**总发行** 中国法律图书有限公司
**印张** 5.75
**经销** 新华书店
**字数** 130 千
**印刷** 北京玺诚印务有限公司
**版本** 2006 年 4 月第 1 版
**责任印制** 吕亚莉
**印次** 2018 年 11 月第 2 次印刷

法律出版社/北京市丰台区莲花池西里 7 号(100073)
网址/www.lawpress.com.cn
投稿邮箱/info@lawpress.com.cn
销售热线/010-83938336
举报维权邮箱/jbwq@lawpress.com.cn
咨询电话/010-63939796

中国法律图书有限公司/北京市丰台区莲花池西里 7 号(100073)
全国各地中法图分、子公司销售电话：
统一销售客服/400-660-6393
第一法律书店/010-83938334/8335 西安分公司/029-85330678 重庆分公司/023-67453036
上海分公司/021-62071639/1636 深圳分公司/0755-83072995

**书号**:ISBN 978-7-5036-6289-8 **定价**:36.00 元
(如有缺页或倒装，中国法律图书有限公司负责退换)

# 总　序

人类文明的历史上，还没有哪一个时代像中国的改革开放40年一样，在历史长河中掀起如此巨大的浪花——它不仅深刻改变了一个国家的面貌与精神气质、使数亿人摆脱贫困，还极大地改变了世界格局。

1978，在那一年的年底，中共中央一次全体会议——十一届三中全会扭转了中国的前进方向，开辟了一个时代。回首过去，我们发现，一些观念从那时开始在中国出现，一些声音从那时开始逐渐响起，一些人物开始登上历史舞台。从这一年开始，随着“加强社会主义民主，健全社会主义法制”历史性任务的提出，“法制”两个字进入了人们的视野；政法机关开始恢复重建；法律院系开始蓬勃发展。一部部法律从庙堂走进了人们的生活，一次次裁决推动着国家前进的脚步。从“有法可依、有法必依、执法必严、违法必究”到“科学立法、严格执法、公正司法、全民守法”；从“法制”到“法治”；从法治观念的形成到“依法治国，建设社会主义法治国家”写进宪法，再到“法治国家、法治政府、法治社会一体建设”，人们对法治的认识步步深入，中国的改革不断向前推进，结出丰硕的果实。在中国共产党的带领下，这个励精图治的古老国度，再一次创造了改革的奇迹。

40 年发生了无数故事,40 年产生了许多事物。为了纪念这难忘的 40 年,本社组织编辑出版了一批“纪念改革开放 40 周年”主题图书。这些图书,将 40 年来颁布的重要法律及其释义甄选汇集,将法学领域有代表性的学术论文萃取精编,把有关政法机关的重建、法律院系的重生与发展进行展现,将一批被时代改变命运的人物再次唤起。我们希望从法律与法律人的视角,重新审视过去的 40 年,认真体会这不平凡的 40 年。

如江河东下,逝者如斯。岁月总会过去,人事总有代谢,但一个不平凡的时代留下的深刻痕迹,永远不会磨灭。“不忘初心,牢记使命”,习近平总书记在党的十九大报告中向全党发出的号召,使我们有理由期待,下一个 40 年,中国将更加惊艳!

**法律出版社编辑委员会**

**2018 年 10 月**

# 出 版 前 言

《中华人民共和国法律释义丛书》是由全国人大常委会法制工作委员会主持组织编辑的一套系列丛书。

该套丛书由一系列法律释义组成。邀请有关专家、学者和部分参与立法的同志编著。该丛书坚持以准确地反映立法宗旨和法律条款内容为最基本要求,在每部法律释义中努力做到观点的权威性和内容解释的准确性。

我们相信,该套丛书的陆续出版,将会给广大读者进一步学好法律提供有益的帮助。

# 重 印 说 明

本次重印，是为改革开放40周年制作的特别纪念版，为了保持内容原貌，未对正文和附录作实质修改。个别法条内容有修订或修正的，以脚注形式作了标注。特此说明。

2018年10月

# 前　言

十届全国人大常委会第二十次会议审议通过了《关于修改〈中华人民共和国审计法〉的决定》，该决定自2006年6月1日起施行。修改后的审计法的重新颁布施行，对于进一步加强国家的审计监督，维护国家财政经济秩序，提高财政资金使用效益，促进廉政建设，保障国民经济和社会健康发展，具有重要意义。

为配合修改后的审计法的学习、宣传，帮助读者理解这部重要法律各条规定的内容，全国人大常委会法制工作委员会参与审计法立法工作的同志编写了本书，供学习参考。

# 目　录

# 第一部分　释　　义

## 第一章　总　　则

**第一条　为了加强国家的审计监督，维护国家财政经济秩序，提高财政资金使用效益，促进廉政建设，保障国民经济和社会健康发展，根据宪法，制定本法。**

**【释义】**　本条是关于审计法立法目的的规定。

一、审计法的立法目的是：

1. 加强国家的审计监督

国家审计是国家审计机关依法独立检查被审计单位的会计凭证、会计账簿、会计报表以及其他与财政收支、财务收支有关的资料和资产，监督财政收支、财务收支真实、合法和效益的行为。国家审计监督作为国家经济监督体系的重要组成部分，目的是依法通过对财政收支和财务收支进行审计监督，保证财政资金依法合理使用，防止国有资产损失浪费。通过审计立法，对国家审计监督的重要事项作出规定，为国家审计机关和审计人员履行审计监督职责提供法律依据和法律保障，从而加强国家的审计监督工作，这是制定审计法的重要目的。

2. 维护国家财政经济秩序

良好的财政经济秩序，有利于保证财政资金、国有资产的安全和合理有效的使用，有利于保障经济、社会的稳定及健康发展。而要维护国家的财政经济秩序，必须要有强有力的监督系统。建立与发展有中国特色的审计监督制度，有利于维护国家财经法纪，促进社会主义法制建设和依法治国基本方略的实现。主要表现在：(1)通过审计，检查被审计单位是否严格遵守国家财经法律、法规和其他有关规定，从维护法律尊严的高度来促进依法治国，促使被审计单位依法行政、依法管理、依法经营；(2)通过审计，及时发现和查处财经违法违纪行为，向有关部门提出完善财经法制的建议，依法保护国家利益及被审计单位的合法权益，以此来维护合法经营、公平竞争的社会主义市场经济秩序。

3. 提高财政资金使用效益

通过财政审计、财务审计和经济效益审计，可以发现影响被审计单位财务成果和经济效益的各种因素，并针对问题的所在提出切实可行的改善措施，从而有利于被审计单位改善物质技术条件和人员管理素质，进一步挖掘潜力，达到提高财政资金使用效益的目的。

4. 促进廉政建设

建立审计监督制度，有利于惩治腐败，加强廉政建设。一是加强对权力的制约，防范腐败的发生。没有制约的权力难免发生腐败，特别是掌握钱、物较多的部门和单位，有决策权又有执行权，如果缺乏健全的监督制约机制，权力就有可能被滥用，从而滋生腐败；而建立审计监督制度，加强对权力制约，就可以形成有效地防范腐败的约束机制。二是可以通过审计财政收支、财务收支，及时发现违法犯罪问题的线索。审计监督是经常性的，通过对财政收支、财务收支进行监督检查，审计机关可以及时发现腐败线索，移送纪检、监察部门和司法机关查处。三是通过审计监督，促进被审计单位厉行节约、勤俭办事，更好地贯彻落实党风廉政建设的有关规定。四是可以积极配合纪检、监察和司法机关查处大案要案，在防范和惩治腐败、促进廉政建设中作出应有的贡献。

5. 保障国民经济和社会的健康发展

通过制定实施审计法，加强审计监督工作，维护国家财政经济秩序，监督保障国家资金的依法合理使用，促进国有资产的保值增值，达到保障国民经济和社会健康发展的重要目的。

二、我国宪法确立了审计监督的法律地位。本法的立法依据是宪法。宪法第91条规定："国务院设立审计机关，对国务院各部门和地方各级政府的财政收支，对国家的财政金融机构和企业事业组织的财务收支，进行审计监督。""审计机关在国务院总理领导下，依照法律规定独立行使审计监督权，不受其他行政机关、社会团体和个人的干涉。"宪法第109条规定："县级以上的地方各级人民政府设立审计机关。地方各级审计机关依照法律规定独立行使审计监督权，对本级人民政府和上一级审计机关负责。"宪法的上述规定，是制定本法的依据。

**第二条　国家实行审计监督制度。国务院和县级以上地方人民政府设立审计机关。**

**国务院各部门和地方各级人民政府及其各部门的财政收支，国有的金融机构和企业事业组织的财务收支，以及其他依照本法规定应当接受审计的财政收支、财务收支，依照本法规定接受审计监督。**

**审计机关对前款所列财政收支或者财务收支的真实、合法和效益，依法进行审计监督。**

**【释义】**　本条是关于国家实行审计监督制度、审计机关设置、审计监督范围和审计监督工作基本任务的规定。

为适应改革开放和社会主义现代化建设的需要，我国宪法规定实行审计监督制度，确立了审计监督的法律地位。本条第一款再次从法律上明确了国家实行审计监督制度的原则，彰显设立这项制度的必要性。在计划经济条件下，我国经济监督寓于财政和监察工作之中，主要是由财政等部门结合业务管理来进行，计划、银行、税务、物价、工商管理等部门也在各自的权限范围内行使经济监督职能。这些日常性的监督工作，对加强经济管理、促进增收节支起了很大作用。但是，这些部门又存在不够独立、不能超脱而又互相掣肘的局限性。随着国民经济的发展，特别是在发展社会主义市场经济的新形势下，客观上需要建立和发展与社会主义市场经济相适应的、地位超脱、客观公正、并有一定权威的审计机关，对财政收支、财务收支进行独立的审计监督。同时，审计机关通过对本级政府各部门和下级政府预算的执行情况和决算以及其他财政收支情况进行审计监督，有利于促使这些部门正确运用权力，从而形成不同层次、不同角度的经济监督网络。依照本法规定，国家审计监督制度的主要内容包括：国家审计机关的设置及隶属关系，审计机关实施审计监督的职责和权限，审计监督的程序，以及违反审计法的法律责任等。

我国的审计机关在县级以上政府设立，作为政府的一个部门行使审计监督职能，但审计机关与其他多数政府职能部门相比，具有两个特殊性：一是各级审计机关都直接接受本级政府行政首长的领导；二是地方各级审计机关同时还要受上一级审计机关的领导，即实行双重领导体制，向本级人民政府和上一级审计机关负责并报告工作，审计业务以上级审计机关领导为主。这样设置有明确的宪法依据，也符合我国的实际情况。

依照本条第二款规定，审计监督的范围包括：

1. 国务院各部门和地方各级人民政府及其各部门的财政收支。依照现行《审计法实施条例》的规定，接受审计监督的财政收支，是指依照预算法和国家其他有关规定，纳入预算管理的收入和支出，以及预算外资金的收入和支出。本法第 16 条规定，审计机关对本级各部门（含直属单位）和下级政府预算的执行情况和决算以及其他财政收支情况，进行审计监督。

2. 国有的金融机构和企业事业组织的财务收支。依照本法规定，审计机关对国有企业、中央银行和国有金融机构的资产、负债、损益，以及对国家的事业组织和使用财政资金的其他事业组织进行审计监督。所谓财务收支，依照现行《审计法实施条例》的规定，是指国有的金融机构、企业事业单位以及国家规定应当接受审计监督的其他有关单位，按照国家有关财务会计制度的规定，办理会计事务、进行会计核算、实行会计监督的各种资金的收入和支出。

3. 其他依照本法规定应当接受审计的财政收支、财务收支。例如，国家建设项目的预算执行和决算，由政府部门管理的和政府委托社会团体管理的社会保障基金、社会捐赠资金等基金、资金的财务收支，国际组织和外国政府援助、贷款项目的财务收支。

依据本条第三款规定，审计工作的基本任务，是对财政收支或者财务收支的真实、合法和效益，依法进行审计监督。真实，是指有关的凭证、账簿、报表、报告等反映的财政收支、财务收支的情况，必须是真实存在、符合客观实际的，不得有任何违反客观事实的增加、减少、隐瞒等虚假情况。合法，是指财政收支、财务收支符合法律、法规和国家其他有关规定。效益，包括资金的使用效果、资金运用的效率和用于经营的资金所产生的收益。

**第三条　审计机关依照法律规定的职权和程序，进行审计监督。**

**审计机关依据有关财政收支、财务收支的法律、法规和国家其他有关规定进行审计评价，在法定职权范围内作出审计决定。**

**【释义】**　本条是关于审计机关依法进行审计监督的基本要求及进行审计评价、作出审计决定适用法律依据的规定。

审计机关是国家为了依法对财政收支和财务收支进行审计监督而专门设立的国家机关，其依据法律规定的职权，对被审计单位实施强制审计。法律规定审计机关进行审计监督的职权，既是审计机关的法定权力，也是审计机关必须履行的法定义务。审计机关不能超越法定职权活动，也不能不履行法定的职责。越权行为和失职行为都是违反法律规定的行为。审计机关依法实施审计监督，需要强调：一是审计机关实施审计监督的对象，应当是法律规定的有关主体；审计机关实施监督的事项，应当符合法律的规定。除了上级审计机关授权下级审计机关审计的事项和上级审计机关决定直接由自己进行审计的事项以外，各级审计机关应当按照各自的审计管辖范围，对有关单位和事项进行审计监督。二是审计机关必须按照法律规定的程序进行审计监督。审计程序是审计机关和审计人员执行审计监督任务必须遵循的工作步骤、工作规则。严格按照法律规定的审计程序开展审计监督工作，对于审计机关客观、公正、准确地查明审计事项的真实情况，及时、有效地完成审计任务，以及对于取得审计单位的支持和配合，维护被审计单位的合法权益，都具有重要意义。

这次修改审计法在本条增加了第二款规定，即审计机关依据有关财政收支、财务收支的法律、法规和国家其他有关规定进行审计评价，在法定职权范围内作出审计决定。审计评价，是指审计机关按照确定的审计目标对被审计单位财政收支、财务收支真实、合法、效益进行分析判断，并发表审计意见的行为。审计机关进行审计评价的依据是法律、法规和国家其他有关规定，例如预算法、会计法、税法及国家统一的会计制度等。上述有关法律、法规和国家其他有关规定是审计机关进行审计评价的依据。对审计中发现的违反国家规定的财政收支、财务收支行为，属于审计机关法定职权范围内的事项，审计机关应当依法作出处理、处罚的审计决定，对于属于其他有关主管机关职权范围内的事项，审计机关应当依法向有关主管机关提出给予处理、处罚的意见。

**第四条　国务院和县级以上地方人民政府应当每年向本级人民代表大会常务委员会提出审计机关对预算执行和其他财政收支的审计工作报告。审计工作报告应当重点报告对预算执行的审计情况。必要时,人民代表大会常务委员会可以对审计工作报告作出决议。**

**国务院和县级以上地方人民政府应当将审计工作报告中指出的问题的纠正情况和处理结果向本级人民代表大会常务委员会报告。**

**【释义】**　本条是关于县级以上人民政府向本级人大常委会报告审计工作及纠正情况和处理结果的规定。

根据我国宪法的规定,各级人民政府都要向本级人民代表大会负责,接受本级人民代表大会及其常务委员会的监督。而对政府财政预算的执行和其他财政收支情况进行监督,是人大及其常委会对政府工作进行监督的重要方面。依照本法规定,国务院和县级以上地方人民政府设立审计机关。国务院审计机关受国务院总理领导,向总理负责;地方审计机关受本级人民政府和上一级审计机关领导,对本级人民政府和上一级审计机关负责。各级预算的执行情况和其他财政收支情况,应当由各级人民政府向本级人大及其常委会负责,并提出有关的报告。因此,本条第一款规定,应由国务院和县级以上地方人民政府向本级人大常委会提出审计机关对预算执行和其他财政收支的审计工作报告。

依照本条规定,国务院和县级以上地方人民政府应当每年向人大常委会提出审计机关对预算执行和其他财政收支的审计工作报告。这对于人大常委会依法履行对政府审计工作和预算执行情况的监督职责,很有必要。但现行审计法对政府审计工作报告的重点内容、报告指出问题的后续处理等,缺乏明确规定。为加强人大常委会对政府审计工作和预算执行情况监督的针对性、有效性,修改后的审计法增加规定,审计工作报告应当突出重点,主要反映对预算执行的审计情况。必要时,人民代表大会常务委员会可以对审计工作报告作出决议。国务院和县级以上地方人民政府应当将审计工作报告中指出的问题的纠正情况和处理结果向本级人民代表大会常务委员会报告。

**第五条　审计机关依照法律规定独立行使审计监督权,不受其他行政机关、社会团体和个人的干涉。**

**【释义】**　本条是关于审计机关独立行使审计监督权的规定。

审计监督权是国家的一项经济监督权,由审计机关依法独立行使。确立独立审计的原则,对于保障审计机关依法实施审计监督权,客观公正、实事求是地评价、揭露和处理问题,维护社会主义法制是十分必要的。如果审计机关不具有必要的独立地位,依附于其他组织,那么审计机关对该组织进行审计监督则成为形式;如果其他组织和个人可以任意干涉审计工作,则审计机关就难以对被审计单位的审计事项作出实事求是的评价,难以客观、公正地提出审计报告和作出审计决定。因此,许多国家都在宪法和审计法律中,对审计组织的独立性、审计人员的独立性、审计机关经费的独立性作出了明确的规定。当然,依照宪法和本法规定,审计机关设在政府内部,是政府的一个独立部门,要受政府主要负责人的领导。审计署要在国务院总理领导下行使审计监督权,对总理负责;地方各级审计机关要在本级政府和上一级审计机关的双重领导下行使审计监督权。

审计机关依法独立行使审计监督权,主要体现在以下几个方面:

1. 在领导关系上,审计署直接受国务院总理领导,对总理负责;地方各级审计机关受本级政府"一把手"和上一级审计机关的双重领导,在审计业务上以上级审计机关领导为主。

2. 审计机关可以自行安排审计工作计划,部署审计监督工作。

3. 审计机关可以自行安排执行各项审计任务的人员，并严格执行回避的规定；被审计单位、其他组织和个人，都不得干涉审计机关对审计人员的工作安排。

4. 审计机关根据审计结果，独立地对审计事项作出评价，以自己的名义出具审计报告；依照审计法的规定向本级人民政府和上一级审计机关提出审计结果报告。

5. 对审计中查出的违反国家规定的财政收支、财务收支的行为，按照法定职权应当由审计机关处理、处罚的，依法自行作出处理、处罚的决定。

其他的行政机关、社会团体和个人，都应当依照法律的规定，尊重审计机关的职权，支持、配合审计机关依法独立行使审计监督权，不得利用本部门的某些特殊地位、条件或者个人的职权，干涉审计机关依法行使职权。审计机关和审计人员也应敢于坚持原则，依法行使权力。

**第六条　审计机关和审计人员办理审计事项，应当客观公正，实事求是，廉洁奉公，保守秘密。**

**【释义】**　本条是关于审计机关和审计人员必须遵守的基本职业道德和准则的规定。

审计职业道德和准则，是指审计人员在长期审计工作过程中逐步形成的应当普遍遵守的行为规范。它是审计机关和审计人员专业态度、职业操守的指南。本条规定的审计机关和审计人员的职业道德和准则是：

1. 客观公正。客观，是要求审计机关和审计人员办理审计事项，不得带有任何主观偏见，要按照客观事实反映审计事项的真实情况。公正，是要求审计机关和审计人员以独立、超脱的地位，不偏不倚地对待被审计单位和审计事项。审计人员在执业中必须诚实、公正，一切从客观实际出发，不容许有偏见、偏袒。

2. 实事求是。是指要客观、公正地对审计调查所得到的真实情况进行分析研究，确定是否符合有关法律、法规和国家其他有关规定，得出符合事实的意见和结论。

3. 廉洁奉公。这是对审计人员职业道德的基本要求。作为国家工作人员，是否廉洁奉公，直接影响到国家机关的形象，也直接关系到能否客观公正、实事求是地执行审计监督任务。审计人员应当自觉遵守国家有关廉政建设的规定，忠于职守，奉公守法，坚决抵制不正之风，绝不允许滥用权力，要做到清正廉洁，严格依法办事。

4. 保守秘密。审计人员在执行审计业务过程中必然会接触到大量的国家秘密和被审计单位的商业秘密。在审计工作中要做好保守秘密工作，需要注意：(1)保证审计工作中接触的资料都是实现审计目标、完成审计任务所需要的，审计人员不能要求接触与履行审计职责无关的保密资料；(2)审计人员不得将被审计单位及有关人员的任何秘密违法泄露给第三方；(3)审计人员应当遵守国家对审计信息披露的有关规定。

# 第二章 审计机关和审计人员

**第七条 国务院设立审计署，在国务院总理领导下，主管全国的审计工作。审计长是审计署的行政首长。**

**【释义】** 本条是对审计署的规定。

审计署是国务院的审计机关。宪法第91条规定，国务院设立审计机关，但没有规定该审计机关的名称。1983年3月8日《国务院关于地方各级审计机关设置和人员编制问题的通知》（国发〔1983〕36号）规定："根据宪法的有关规定，国务院设立中华人民共和国审计署"。1983年9月15日，中华人民共和国审计署正式成立。本法将这一名称法定化。

审计署作为国务院的审计机关，在国务院总理的领导下开展工作。关于中央审计机关的领导体制，世界各国不尽相同，归纳起来，主要有三种：(1)议会型，即审计机关设在议会，向议会负责并报告工作。如英国、美国、加拿大、俄罗斯、奥地利、西班牙、葡萄牙、波兰、以色列等。(2)行政型，即审计机关设在政府，向政府负责并报告工作，我国即是这种类型。(3)独立型，即审计机关独立设置，不隶属于任何机构。如德国、法国、日本等。我国审计机关的领导体制，是在充分考虑了我国实际情况的基础上确立的。审计署受国务院总理领导，在表明我国的审计领导体制是行政型的同时，还体现了审计署不同于部、委的特殊性。审计署是国务院的一个部门，但同时它又对国务院其他部门实施审计监督。确定审计署受国务院总理的领导，有利于协调审计署与其他部门之间的关系，有利于保障审计署独立行使审计监督权。

审计署的基本职责是在国务院总理领导下主管全国的审计工作。具体可以从以下几个方面来理解:(1)对属于审计署审计监督范围内的对象进行审计,向国务院总理提交中央预算执行情况及其他财政收支的审计结果报告,受国务院委托向全国人大常委会提出中央预算执行情况和其他财政收支的审计工作报告。(2)拟定审计方针政策、规章制度,组织领导、协调监督各级审计机关的业务。(3)向国务院报告和向国务院有关部门通报审计情况,提出制定和完善有关政策法规、宏观调控措施的建议。(4)组织实施对贯彻执行国家财经方针政策和宏观调控措施情况的行业审计、专项审计和审计调查;组织地方审计机关对党政领导干部进行任期经济责任审计;依法受理被审计单位对审计机关审计决定的复议申请。(5)对内部审计工作进行业务指导和监督以及其他一些全国性的审计工作。审计署职责的确定,首先应当根据宪法和审计法的有关规定,以及其他法律和行政法规的规定,其次应当按照《国务院办公厅关于印发审计署职能配置、内设机构和人员编制规定的通知》(国办发〔1998〕40 号)的有关规定。

审计长是审计署的行政首长。宪法第 86 条规定,审计长是国务院的组成人员。此外,宪法第 62 条第五项、第 63 条第二项、第 67 条第九项、第 80 条也都有关于审计长的规定,本条使用"行政首长",还包含了审计署实行行政首长负责制的意旨。

**第八条　省、自治区、直辖市、设区的市、自治州、县、自治县、不设区的市、市辖区的人民政府的审计机关,分别在省长、自治区主席、市长、州长、县长、区长和上一级审计机关的领导下,负责本行政区域内的审计工作。**

**【释义】** 本条是对地方审计机关的领导体制和基本职责的规定。

宪法第 109 条、地方各级人民代表大会和地方各级人民政府组织法第 64 条第二款和本法第 2 条第一款都规定,县级以上地方各级人民政府设立审计机关。我国地方审计机关分为三级:一是省、自治区、直辖市的审计机关;二是设区的市、自治州的审计机关;三是县、自治县、不设区的市、市辖区的审计机关。从 1983 年起,县级以上地方各级人民政府设立了审计机关,设立之初,地方审计机关一般都称审计局,行政首长称局长。1992 年后,各省、自治区人民政府的审计机关相继改称为审计厅,行政首长称厅长;直辖市人民政府的审计机关仍称审计局,行政首长称局长;市级(设区的市、自治州)、县(县、自治县、不设区的市、市辖区)政府的审计机关称审计局,行政首长称局长。

地方各级审计机关行使审计监督权,对本级人民政府和上一级审计机关负责,宪法第 109 条已经对此作出了规定。本条以宪法规定为依据,规定地方各级审计机关在本级人民政府行政首长和上一级审计机关的双重领导下,进行审计工作。具体可以从以下几个方面来理解:

1. 根据我国地方政府组织法的有关规定,地方各级人民政府有管理本行政区域内的行政工作、领导所属各工作部门的职权。地方各级审计机关由本级人民政府设立,是政府的职能部门,理应依法接受本级人民政府的领导。根据中央和地方的事权、财权的划分,规定地方审计机关受本级人民政府领导,有利于发挥地方在监督财政经济管理中的积极作用。

另外,与规定审计署受国务院总理领导一样,规定地方审计机关受地方行政首长的领导,有利于审计机关依法独立行使审计监督权。审计监督的范围广,涉及各个方面的利益关系,政策性强,在地方各级行政首长的领导下进行审计监督,则有利于协调审计机关与被审计单位之间的关系,有利于审计机关依法独立行使监督权,符合我国国情。

2. 根据我国地方政府组织法的有关规定,政府工作部门受本级人民政府的统一领导，并且依照法律或者行政法规的规定受国务院主管部门或者上级人民政府主管部门的业务指导或者领导。本条规定地方审计机关受上一级审计机关的领导，是对地方政府组织法相关规定的具体体现。

政府审计的性质要求其必须具有较大的独立性。地方审计机关同时受上一级审计机关的领导，有利于保证地方审计机关依法独立行使审计监督权。比较而言，上一级审计机关对审计工作全局有着更为全面的把握，地方审计机关同时受上一级审计机关的领导，也有利于审计工作的统一性，保持政令畅通，促进审计工作的开展。

负责本行政区域内的审计工作，是地方审计机关的基本职责。具体可以从以下几个方面来理解：制定本行政区域审计工作的政策和规划，确定审计工作重点；负责本级审计机关审计范围的审计事项；对下一级审计机关审计工作进行领导。需要注意的是，地方审计机关职责的确定，应当结合审计管辖范围来理解。审计管辖范围应当根据被审计单位的财政、财务隶属关系或者国有资产监督管理关系来确定。

**第九条　地方各级审计机关对本级人民政府和上一级审计机关负责并报告工作，审计业务以上级审计机关领导为主。**

**【释义】**　本条是对地方审计机关与本级人民政府和上一级审计机关之间的关系的规定。

根据本法第 8 条的规定，地方各级审计机关受本级人民政府行政首长和上一级审计机关的双重领导。本条则进一步明确了地方各级审计机关对本级人民政府和上一级审计机关负责并报告工作。从审计工作实践来看，地方审计机关对本级人民政府和上一级审计机关负责的具体内容主要是：遵循其制定的工作方针、政策和规章制度，向其请示并报告工作，接受其监督，服从其指示和命令，由其考核工作，完成交办的事项等。报告的具体内容是：审计工作的计划和规划，审计工作情况报告，专项、专案审计报告，制定的规章制度和规范，机构、编制、经费、人事任免情况报告等。

在双重领导体制下，地方各级审计机关的审计业务以上级审计机关领导为主。审计业务是审计机关所从事的特有工作，即审计机关为依法履行审计监督职责而进行的工作。审计业务的专业性和政策性都很强，它要求审计人员根据有关法律、法规和国家其他有关规定，以科学的方法对被审计单位的财政收支或者财务收支的真实、合法和效益进行审计评价，提出审计报告，在法定职权范围内作出审计决定。这客观上对审计工作的质量和审计人员的业务素质提出了很高的要求，对审计机关和审计人员的独立性也是一个考验。本条规定审计业务以上级审计机关领导为主：一方面，能够使地方审计机关和审计人员不断提高审计业务水平，更好地依法履行职责；另一方面，地方各级审计机关的审计业务以上级审计机关领导为主，也有利于保证地方各级审计机关依法独立行使审计监督权。

**第十条　审计机关根据工作需要，经本级人民政府批准，可以在其审计管辖范围内设立派出机构。**

**派出机构根据审计机关的授权，依法进行审计工作。**

**【释义】**　本条是对审计派出机构的规定。

设立派出机构，是审计机关加强和改进审计工作的重要措施。根据本法第28条规定，审计管辖范围是按照被审计单位的财政、财务隶属关系或者国有资产监督管理关系确定的，而并不完全是按照地域确定的。属于本级审计机关审计的单位可能分布于各地，为提高审计工作效率，需要在本级审计管辖范围内的被审计单位集中的地区或者重点单位设立派出机构。财税体制改革后，中央与地方的财权和事权划分得比较清楚，各级审计机关应加强对本级财政收支、财务收支的审计监督，上级审计机关不宜把自己审计监督范围内的事项过多地授权给下级审计机关审计。另外，有些政府部门管理的财政资金、国有资产数额较大，直属单位较多，也需要在这些政府部门设立派出机构，以加强审计监督。

目前审计署经国务院批准设立的派出机构，有审计署驻地方特派员办事处和中央部门派出审计局两种形式，有的地方审计机关经本级人民政府批准，也成立了派出审计机构。

以审计署为例，目前，审计署设立了 18 个驻地方特派员办事处，其级别为正司级，其名称一般为审计署驻某地特派员办事处，负责人称特派员。特派办根据审计署的授权，对省级财政预算执行情况和决算，对海关总署、国家税务总局、中央国库驻地方的分支机构的财务收支，对中国人民银行、中央国有金融机构、证券公司驻地方分支机构的财政财务收支以及国有中央企业、直属事业单位的财务收支等进行审计监督。一个特派办负责两至三个省（或者计划单列市）的相关审计工作，如南京特派办负责江苏省和安徽省，上海特派办负责上海市、浙江省、宁波市。

根据中央机构编制委员会办公室、审计署于 1998 年 6 月 13 日印发的《关于审计署向国务院各部门、直属事业单位派出审计机构的通知》规定，审计署共派出了 25 个审计局，对国务院有关部门、直属事业单位及其在京的下属单位的财政收支、财务收支进行审计监督。中央部门派出审计局人、财、物由审计署直接管理，被审计单位负责提供必要的办公条件。

根据本条规定，审计机关设立派出机构，需要同时满足以下条件：(1)根据审计监督工作的实际需要；(2)经本级人民政府批准；(3)在审计机关自身的管辖范围内。

派出机构根据审计机关的授权，依法进行审计工作。这里的“授权”，应该理解为派出机构在授权的范围内，具有一定的独立开展审计工作的资格和能力。对审计机关来说，“授权”要符合法律规定,对派出机构来说,"授权"和"依法"缺一不可,是进行审计工作的前提和依据。

**第十一条 审计机关履行职责所必需的经费,应当列入财政预算,由本级人民政府予以保证。**

**【释义】** 本条是对审计经费保障的规定。

审计经费是审计机关执行审计监督活动所需要的费用,是保障审计机关正常履行职责、开展审计监督活动的物质基础,是加强审计工作的必要条件。审计机关作为政府组成部门,其履行职责所必需的经费应当列入财政预算,由本级人民政府予以保证。本法之所以对审计机关的经费保障问题作出专门规定,是与审计机关的独立性相对应的,经费独立是审计机关独立性的内容之一,只有经费得到保证,审计机关才能更好地独立行使审计监督职权。

各级人民政府应当对列入预算的审计机关经费予以保证。根据预算法的规定,国家实行一级政府一级预算,因此,审计署的经费列入中央预算,地方各级审计机关的经费相应地列入本级人民政府预算。预算法还规定,各级政府财政部门必须依照法律、行政法规和国务院财政部门的规定,及时、足额地拨付预算支出资金。因此,审计机关的经费一经列入预算,本级人民政府就有义务予以保证,按照预算规定的数额、时间,足额、及时地拨付。

**第十二条 审计人员应当具备与其从事的审计工作相适应的专业知识和业务能力。**

**【释义】** 本条是对审计人员专业能力的规定。

审计人员是指在审计机关专门从事审计业务工作的人员。审计工作专业性很强,这就要求审计人员除了应当具备作为国家公务员应有的政治素质和实践经验外,还应当具备与其从事的审计工作相适应的专业知识和业务能力。

从专业知识角度，审计人员应当熟悉有关的法律、法规和政策，掌握审计及相关专业知识。从业务能力角度，应当具有调查研究、综合分析、专业判断和文字表达能力。国外审计组织对审计人员专业知识和业务能力的要求是通过制定审计标准来实现的。最高审计机关国际组织于1977年颁布的《利马宣言——审计规则指南》中有关审计人员的一章中指出，审计人员应具备必要的资历和道德品质，招聘审计人员时应适当重视较高的知识水平和实际工作水平，使其具备法律、经济、会计、企业管理技术和电子数据处理等方面的知识和能力。

为了保证审计人员具备与其从事的审计工作相适应的专业知识和业务能力，应当采取下列措施：(1)把好进人关，必须是具备一定的专业知识和业务能力的人才能进入审计机关从事审计工作；(2)进行岗位培训，审计机关录用的审计人员，应当经过专业培训，考核合格后才能承办审计业务；(3)建立和实施继续教育，保证审计人员具有较高的政治素质、必要的专业知识和业务能力。

**第十三条　审计人员办理审计事项，与被审计单位或者审计事项有利害关系的，应当回避。**

**【释义】**　本条是对审计人员履行职责回避制度的规定。

回避制度是防止国家公务人员利用职权谋取私利而对其任职和执行公务有所限制的人事行政制度。回避制度可以分为两种：一是任职回避，如公务员法第68条规定，公务员之间有夫妻关系、直系血亲关系、三代以内旁系血亲关系以及近姻亲关系的，不得在同一机关担任双方直接隶属于同一领导人员的职务或者有直接上下级领导关系的职务，也不得在其中一方担任领导职务的机关从事组织、人事、纪检、监察、审计和财务工作；另一种是执行公务回避，公务人员不得参与、介入处理与自己有利害关系或者与自己的亲属有利害关系以及其他可能影响公正执行公务的情况，公务员法第70条规定的就是执行公务回避。本条规定的回避，是第二种类型，即审计人员执行公务时的回避。

本条规定了审计人员办理审计事项，与被审计单位或者审计事项有利害关系的，应当回避，但没有详细界定利害关系，也没有进一步规定具体程序。对此，可以从以下角度理解：审计人员是依法履行公职、纳入国家行政编制，由国家财政负担工资福利的工作人员，属于公务员法的调整范围，因此，公务员法中有关回避的规定，如利害关系的认定、申请和决定回避的程序等，同样适用于审计人员。审计人员办理审计事项，遇有下列情形之一的，应当回避：(1)与被审计单位负责人和有关主管人员之间有夫妻关系、直系血亲关系、三代以内旁系血亲以及近姻亲关系的；(2)与被审计单位或者审计事项有经济利益关系的；(3)与被审计单位或者审计事项有其他利害关系，可能影响公正执行公务的。遇有应当回避的情形，审计人员应当主动向审计机关负责人申请回避，被审计单位有权申请审计人员回避。审计机关根据审计人员本人或者被审计单位的申请，经审查后作出是否回避的决定，也可以不经申请直接作出回避决定。

**第十四条　审计人员对其在执行职务中知悉的国家秘密和被审计单位的商业秘密，负有保密的义务。**

**【释义】**　本条是对审计人员保密义务的规定。

保守国家秘密和被审计单位的商业秘密是审计人员办理审计事项的基本要求。国家秘密是关系国家的安全和利益，依照法定程序确定，在一定时间内只限一定范围的人员知悉的事项。一切国家机关、武装力量、政党、社会团体、企业事业单位和公民都有保守国家秘密的义务。国家秘密包括下列秘密事项：(1)国家事务的重大决策中的秘密事项；(2)国防建设和武装力量活动中的秘密事项;(3)外交和外事活动中的秘密事项以及对外承担保密义务的事项;(4)国民经济和社会发展中的秘密事项;(5)科学技术中的秘密事项;(6)维护国家安全活动和追查刑事犯罪中的秘密事项;(7)其他经国家保密工作部门确定应当保守的国家秘密事项。从本法的相关规定可以看出,审计监督范围很广,审计人员在办理审计事项时,经常接触到国家秘密。有些财政收支、财务收支情况本身就属于国家秘密,审计人员在进行审计工作时直接知悉国家秘密;有些财政收支、财务收支情况本身虽然未被划入国家秘密,但却是那些构成国家秘密的事项在财政、财务上的表现,审计人员在进行审计工作时有可能间接知悉国家秘密。无论在哪种情况下知悉的国家秘密,审计人员都有义务予以保守。

商业秘密是指不为公众所知悉、能为权利人带来经济利益、具有实用性并经权利人采取保密措施的技术信息和经营信息。确定某一技术信息或者经营信息是否是商业秘密,下列要件缺一不可:(1)秘密性,即不为公众所知悉,一旦为公众知悉即不属于商业秘密;(2)经济利益性,即这种信息能为权利人带来经济利益,如果无法带来经济利益,则也不是商业秘密;(3)实用性,如果没有实用性则不构成商业秘密;(4)保密性,权利人没有采取保密措施,则也不构成商业秘密。企业的销售计划、销售网络、客户名单、进货渠道、贸易图、产品配方都有可能构成企业的商业秘密。审计监督对象中有一部分是企业,在办理审计事项过程中,审计人员容易接触到企业的商业秘密。因此,除了保守国家秘密的问题外,还可能遇到商业秘密的保密问题。审计人员应当严守其职业操守,对执行职务时知悉的商业秘密予以保密,不得披露甚至使用商业秘密,否则应承担相应的法律责任。本法第 52 条对审计人员泄露国家秘密或者所知悉的商业秘密的法律责任作出了规定。

**第十五条　审计人员依法执行职务,受法律保护。**

**任何组织和个人不得拒绝、阻碍审计人员依法执行职务，不得打击报复审计人员。**

**审计机关负责人依照法定程序任免。审计机关负责人没有违法失职或者其他不符合任职条件的情况的，不得随意撤换。**

**地方各级审计机关负责人的任免，应当事先征求上一级审计机关的意见。**

**【释义】** 本条是对审计人员依法执行职务受法律保护和审计机关负责人任免的规定。

本条第一款规定审计人员依法执行职务受法律保护。审计监督是国家经济管理和监督机制的重要组成部分，审计人员执行职务，行使国家审计机关依法享有的审计监督权，理应受到法律的保护。对审计人员依法执行职务受法律保护作出专门规定，有利于审计人员依法独立行使审计监督权，有利于保障审计工作的顺利开展。受法律保护的行为，须是审计人员依法执行职务的行为。审计人员超越职权、滥用职权的行为，不仅不受法律保护，而且应受法律的惩处。

第二款的规定是保证审计人员依法执行职务的重要方面，是针对审计工作的性质和审计人员可能遇到的问题而作出的专门规定。拒绝审计人员依法执行职务，通常表现为拒绝提供审计机关要求提供的资料，拒绝审计机关检查与审计事项有关的资料和资产。阻碍审计人员依法执行职务，则表现为以种种手段设置障碍，故意阻止审计人员依法执行职务。同时，审计工作容易得罪人，易受到打击报复，出于对审计人员的人身安全、职务保障等考虑，也是为了审计事业的健康发展，本条第二款明确规定不得打击报复审计人员。对拒绝、阻碍审计人员依法执行职务、报复陷害审计人员的行为，应当依法追究其法律责任。

本条第三款之所以对审计机关负责人的任免作出明确规定，主要基于以下两点：第一，审计机关在实施审计监督、维护国家财经秩序的过程中，容易得罪人，为保障审计机关依法行使职权，避免审计机关负责人被随意撤职、调换，影响审计工作的开展，需要对审计机关负责人的任职给予法律保障；第二，审计机关负责人的独立性是审计独立性的具体表现之一，这已为最高审计机关国际组织于 1977 年通过的《利马宣言——审计规则指南》所确定。

本款可以从以下两个层次来理解：第一，审计机关负责人必须依照法定程序任免。这主要是指依照宪法和地方政府组织法规定的程序任免。根据宪法第 62 条、第 63 条、第 67 条、第 80 条的规定，审计署审计长的任免程序是：由总理提名，全国人民代表大会决定人选，全国人民代表大会闭会期间由全国人民代表大会常务委员会决定人选，国家主席根据全国人大的决定或全国人大常委会的决定任免。根据宪法第 89 条的规定，审计署副审计长由国务院任免。根据地方各级人民代表大会和地方各级人民政府组织法第 44 条第十项的规定，地方审计机关正职领导的任免程序是：由本级政府首长提名，本级人大常委会决定任免，报上一级人民政府备案。根据该法第 59 条第四项的规定，地方审计机关副职领导人由本级政府任免。第二，审计机关负责人没有违法失职或者其他不符合任职条件的情况的，不得随意撤换。“违法失职或者其他不符合任职条件的情况”可以从以下几个方面理解：(1)因犯罪被追究刑事责任的；(2)因严重违法失职受到行政处分，不适宜继续担任审计机关负责人的；(3)因身体健康原因不能履行职责 1 年以上的；(4)不符合国家规定的其他任职条件的。

地方各级审计机关负责人的任免，应当事先征求上一级审计机关的意见。这一规定的考虑是：(1)我国地方审计机关实行双重领导体制，即地方审计机关受本级政府和上一级审计机关的双重领导。地方各级审计机关是地方人民政府的职能部门，根据地方政府组织法的有关规定，地方审计机关正职领导由本级政府首长提名，本级人大常委会决定任免，报上一级人民政府备案；地方审计机关副职领导人由本级政府任免。同时，地方各级审计机关还受上一级审计机关领导，这客观上要求地方各级审计机关负责人的任免，应当考虑上一级审计机关的意见，而按照现行干部任免体制，以事先征求上一级审计机关意见的方式为宜。(2)审计工作具有较强的专业性，审计机关负责人应当具备与其从事的审计工作相适应的专业能力和业务能力。规定地方各级审计机关负责人的任免应当事先征求上一级审计机关的意见，使上一级审计机关对下一级审计机关负责人的任免有权发表意见，有利于保证审计机关负责人的专业素质。(3)由于审计机关工作的特殊性，规定地方各级审计机关负责人的任免，应当事先征求上一级审计机关的意见，在人事任免方面能够在一定程度上对审计机关负责人形成保护，从而更好地保障审计监督的独立性，有利于各级审计机关正确履行审计监督职责。

# 第三章 审计机关职责

**第十六条 审计机关对本级各部门(含直属单位)和下级政府预算的执行情况和决算以及其他财政收支情况,进行审计监督。**

**【释义】** 本条是对本级各部门和下级政府财政收支审计的规定。

对财政预算的执行、决算和其他财政收支进行审计监督,是宪法和审计法赋予审计机关的重要职责,也是建立国家审计监督制度的重要目的。国家财政是国家为了维持其存在和实现社会管理职能,凭借国家力量参与国民收入分配的活动,是国家机关履行职责和进行经济建设、国防建设,发展教育、科学、文化、卫生事业,改善人民生活的财力保障。由专门的国家机关对各项财政资金收支的真实、合法和效益进行审查并作出评价,以监督财政资金的依法合理征收和使用,是维护国家利益和全体人民共同利益的需要,也是现代国家的通行做法。

本条规定的财政收支审计的对象包括本级各部门(含直属单位)和下级政府。其中,本级各部门是指与审计机关同级的根据预算法的规定作为一个预算单位,列入国家预算,接受财政拨款的部门。具体范围包括:(1)本级政府组成部门,如国务院组成部门国家发展改革委、财政部、商务部等;(2)国家权力机关、审判机关、检察机关等;(3)作为预算单位的其他机关、组织,如作为预算单位的社会团体、群众组织等;(4)各部门的直属单位,主要是指审计机关的本级各部门利用国家财政拨款建立的事业单位,如政府组成部门建立的科研、出版、培训、检测机构等。其中的下级政府，是指审计机关的本级政府以下的各级政府。根据合理分工和财政隶属关系确定审计管辖范围的原则，上级审计机关通常只对下一级政府的财政收支进行审计监督。

本级各部门和下级政府财政收支审计的内容包括：本级各部门（含直属单位）和下级政府预算的执行情况、决算以及其他财政收支情况。

1. 预算执行情况。预算执行情况是指预算执行部门筹集、分配财政资金的活动情况以及组织国家预算收支任务的实现情况。根据预算法的规定，政府预算由本级政府各部门的预算组成，包括下级政府向上级政府解缴的收入和上级政府向下级政府返还的款项和给予的补助。预算收入包括税收收入，依照规定应当上缴的国有资产收益，专项收入以及其他收入。预算支出包括经济建设支出，教育、科学、文化、卫生、体育等事业发展支出，国家管理费用支出，国防支出，各项补贴支出以及其他支出。政府预算经本级人民代表大会审查批准后，应由审计机关对预算执行部门是否按照批准的预算组织收入和支出的情况进行审计。审计机关对预算执行情况进行审计监督的主要内容是：（1）各级政府财政部门按照本级人民代表大会批准的本级预算向本级各部门批复预算的情况、本级预算执行中的调整情况和预算收支变化情况；（2）预算收入征收部门依照法律、行政法规和国家其他有关规定征收预算收入情况；（3）各级政府财政部门按照批准的年度预算和用款计划、预算级次和程序，拨付本级预算支出资金情况；（4）各级政府财政部门依照法律、行政法规的规定和财政管理体制，拨付补助下级人民政府预算支出资金和办理结算情况；（5）本级各部门执行年度支出预算和财政制度、财务制度以及相关的经济建设和事业发展情况，有预算收入上缴任务的部门和单位预算收入上缴情况；（6）各级国库按照国家有关规定办理预算收入的收纳情况和预算支出的拨付情况；（7）按照国家有关规定实行专项管理的预算资金收支情况;(8)法律、法规规定的预算执行中的其他事项。

2. 决算。决算是年度预算执行结果的会计报告。决算由预算报表和文字说明两部分组成,按照我国统一的决算体系逐级汇编而成。预算报表包括上级核定的预算数、本级调整预算数和决算数。其收入依据预算会计明细账的全年累计数填制,支出数依据各预算单位的决算数汇总填制。文字说明是年度预算执行情况的总结,包括收入完成情况,超收或短收原因;支出完成情况及超支结余的原因、主要经济事业支出的效果状况,预算管理的经验及问题等。审计机关对决算进行审计监督的主要内容是:(1)决算是否真实、准确、完整、合法;(2)年度决算收支平衡是否真实;(3)上下级财政结算资金和上级政府返还或者补助资金的计算是否正确;(4)决算结余中按规定结转下年度使用的资金是否符合规定,结转项目是否超过规定的范围等;(5)决算草案的编制是否符合国家有关规定。

3. 其他财政收支。其他财政收支是指预算收入和支出以外的财政性收入和支出,主要是指预算外资金的收支。预算外资金是指国家有关部门、单位根据国家有关规定,自行收取、使用、管理的不纳入国家预算的财政资金,主要包括各项税收附加收入、不纳入预算管理的行政事业性收费和专项基金等。由于各种原因,目前预算外资金在我国的财政收入中仍占有一定比重,其收取、使用和管理存在制度化、规范化、透明化不够等问题,需要加强审计监督。审计机关对预算外资金收支的审计监督主要包括以下内容:(1)审查预算外收入项目、收费标准、收费方式是否符合国家规定,有无坐支、贪污、挪用、隐瞒或者私设“小金库”等现象;(2)审查预算外支出是否符合国家有关规定,手续是否健全,有无乱列乱支现象;(3)审查预算外资金收支的管理和内部控制制度是否健全,是否符合法律、行政法规和国家其他有关规定。

**第十七条 审计署在国务院总理领导下，对中央预算执行情况和其他财政收支情况进行审计监督，向国务院总理提出审计结果报告。**

**地方各级审计机关分别在省长、自治区主席、市长、州长、县长、区长和上一级审计机关的领导下，对本级预算执行情况和其他财政收支情况进行审计监督，向本级人民政府和上一级审计机关提出审计结果报告。**

**【释义】** 本条是对审计机关审计本级预算执行和其他财政收支并提出审计结果报告的规定。

审计机关在本级政府行政首长的领导下对本级财政收支进行审计监督。如前条所述，对预算执行情况和其他财政收支的审计监督是审计机关对财政资金筹集、分配、预算收支任务的完成情况以及其他财政资金收取、支出和管理情况进行审查的监督活动，是审计机关最重要的职能。对本级预算执行情况的审计是指审计机关根据本级人民代表大会批准的预算，审查本级预算执行部门组织预算收入和支出的情况；对其他财政收支的审计主要是指审计机关审查预算外资金的征收、使用、管理情况。我国宪法第 91 条和第 109 条分别规定：审计署在国务院总理领导下，依法独立行使审计监督权；地方各级审计机关对本级人民政府和上一级审计机关负责。本条根据上述原则，明确了审计署在国务院总理领导下，对中央预算执行情况和其他财政收支情况进行审计监督，地方各级审计机关分别在省长、自治区主席、市长、州长、县长、区长和上一级审计机关的领导下，对本级预算执行情况和其他财政收支情况进行审计监督。

对本级财政收支进行审计监督应当提出审计结果报告。审计结果报告是审计机关对本级财政收支进行审计后，向本级政府行政首长和上一级审计机关提出的审计任务完成情况和审计结论的书面报告。审计结果报告具有以下特点：一是审计结果报告是反映本级预算执行情况和其他财政收支审计结论的专门报告，不同于对具体审计单位进行审计后提出的审计报告；二是审计结果报告是审计机关审计本级预算执行情况和其他财政收支的工作总结后作出的审计评价和结论；三是，审计结果报告应当根据审计过程中所发现的问题，提出合理合法的建议；四是，审计结果报告应当向本级政府行政首长和上一级审计机关提出，体现了我国宪法确立的审计体制。审计机关提出的本级预算执行情况和其他财政收支的审计结果报告应包括下列主要内容：(1)财政部门具体组织本级预算执行的情况；(2)本级预算收入征收部门组织预算收入的情况；(3)本级国库办理预算收支业务的情况；(4)审计机关对本级预算执行情况作出的审计评价；(5)本级预算执行中存在的问题以及审计机关依法采取的措施；(6)审计机关提出的处理意见和改进本级预算执行工作的建议；(7)本级政府要求报告的其他情况。

**第十八条　审计署对中央银行的财务收支，进行审计监督。**

**审计机关对国有金融机构的资产、负债、损益，进行审计监督。**

**【释义】**　本条是对中央银行和国有金融机构审计的规定。

我国的中央银行为中国人民银行，是国务院的组成部门，除了具有制定和执行国家货币政策、管理货币流通、监督管理银行间市场、外汇市场、黄金市场等监督管理职责外，还具有发行货币，持有、管理、经营国家外汇储备、黄金储备，经理国库，从事有关的国际金融活动等经营职能。因此，中国人民银行作为国务院的组成部门和中央预算的预算单位，审计署在对本级预算执行情况进行审计时，也要审计中国人民银行执行年度预算的情况。同时，审计署还应当对其从事相关金融业务活动的财务收支的真实、合法、效益进行审计监督。

国有金融机构包括国有的政策性银行、商业银行和非银行金融机构。目前,我国的政策性银行主要有国家进出口银行、国家开发银行、农业发展银行。国有商业银行中有些已经进行了股份制改造,仍为国有独资的商业银行主要有中国农业银行、部分城市商业银行等。国有非银行金融机构包括国有的保险公司、信托投资公司、证券公司、期货经纪公司、财务公司等。与作为政府组成部门的中央银行不同,国有金融机构从事商业活动,不具有行政管理职能。因此,审计机关对国有金融机构的审计内容是该金融机构的资产、负债和损益。主要包括:(1)各项资产形成、运用、管理的真实、合法和效益情况。比如,审计商业银行各项贷款和拆出资金的运用与管理,利率的使用与本息的回收,呆账和坏账准备金的提取及核销,逾期和呆滞、呆账贷款的管理,各种应收及暂付款项的管理,固定资产管理及折旧计提,在建工程的管理和转入固定资产的情况。(2)各项负债形成、偿还和管理的真实、合法和效益情况。比如,审计商业银行各项存款、借款、信用证(卡)和拆入资金的吸收与管理,各种应付款项计提、管理与使用,以担保、保函等形式所形成的或有负债的真实性和合法性的情况。(3)所有者权益各项目增减变动和管理的真实、合法和效益情况。包括审计实收资本的构成和增减变动,公积金和公益金的计提和使用,利润结转和分配的情况。(4)损益的真实、合法情况。包括审计各项业务收入和支出执行权责发生制原则的情况,各项收入和支出的真实与合法性,资本性支出与收益性支出的划分,税前、税后利润计算和税收解缴的情况。(5)会计科目、账户、会计凭证、会计账簿、财务会计报告的真实性、准确性、完整性、合法性以及内部管理与控制制度的健全性、合法性、有效性。审计机关对国有金融机构的资产、负债、损益进行审计,其目的是为了有利于国家制定的金融方针政策的落实,有利于严格执行财经法律、法规,维护财经秩序,有利于促进国有金融机构加强经营管理与内部控制,实现国有资产保值、增值,有利于促进国有金融机构保障国民经济持续、快速、健康发展。

**第十九条　审计机关对国家的事业组织和使用财政资金的其他事业组织的财务收支，进行审计监督。**

**【释义】**　本条是对事业组织审计的规定。

接受审计监督的事业组织是国家的事业组织和使用财政资金的其他事业组织。事业组织是指由国家或者其他投资主体创办的，不直接从事物质资料生产，以改善社会生产和人民生活条件，增进人民物质文化生活而发展科学和文化教育、医药卫生、福利救济等事业为目的的非盈利性组织。事业组织应依法成立，具有独立的财产或者经费，有自己的名称、组织机构和场所，能够独立承担民事责任，并登记为事业法人。所谓国家的事业组织是指国家出资举办的事业组织。虽然目前对国家的事业组织分别采取全额财政拨款、差额财政拨款和由本单位自收自支的预算管理方式，但由于它们是国家出资举办的，因此都应当接受国家的审计监督。随着我国社会主义市场经济的发展和促进社会各项事业发展的需要，有些国有单位与非国有单位、个人共同设立了一些事业组织。这些事业组织虽然不是纯粹由国家举办，但是为了大力发展科学、文化教育、医药卫生、社会福利救济、环境保护等事业，充分利用社会各方面的力量，发挥这些事业组织的功能和优势，也根据需要向这些事业组织提供一定的财政资金，要求其完成政府指定的任务。为了加强对使用财政资金的其他事业组织的监督，这次修改审计法，增加了对使用财政资金的其他事业组织的财务收支进行审计监督的规定。

对事业组织审计监督的内容是事业组织的财务收支的真实、合法、效益。主要包括：

1. 对事业组织收入的审计。主要审计事业性收费的合规性，有无擅自设置项目、超范围、超标准的收入，收入是否全部入账，有无账外设账、少列收入、坐支等情况，是否正确计算税款，有无偷漏税情况等。

2. 对事业组织支出的审计。主要审计事业组织各种支出费用是否违反了国家有关规定，是否真实合法。

3. 对事业组织成本、费用的审计。主要审计事业组织各种成本、费用开支有无超范围、超标准的现象，是否遵循了权责发生制原则，计算是否正确，有无以计划成本、估算成本代替实际成本的情况等。

4. 审计事业组织的会计科目、账户、会计凭证、会计账簿、财务会计报告的真实性、准确性、完整性、合法性以及内部管理与控制制度的健全性、合法性、有效性。

**第二十条　审计机关对国有企业的资产、负债、损益，进行审计监督。**

**【释义】**　本条是对国有企业审计的规定。

国有企业是指企业全部资本由国有资本构成的企业。国有企业审计的内容是企业的资产、负债和损益，是指审计机关对国有企业的资产、负债、损益的真实、合法和效益进行的审查，并作出审计评价的监督活动。其目的是反映企业资产、负债和盈亏的真实情况，查处企业各种违法违规问题，维护国家所有者权益，防止国有资产流失，为政府加强宏观调控服务。

对国有企业的资产、负债、损益进行审计监督的内容主要包括：

1. 对国有企业的会计凭证、会计账簿、财务会计报告进行审计监督。

对会计凭证的审计内容包括：(1)记账凭证是否附列全部经过审核的原始凭证，金额是否一致；(2)原始凭证反映的经济业务是否真实、合法；(3)会计记录是否正确，摘要是否清晰、明了，凭证填写格式是否符合规定要求；(4)会计凭证的审核、传递、归档是否符合规定要求。

对会计账簿的审计内容包括：(1)账簿设置是否完整、全面；(2)账簿反映的内容是否真实、完整、准确，记录是否及时、清晰，是否采用正确的更正方法；(3)账簿反映的经济业务是否与记账凭证相符。

对财务会计报告的审计内容包括：(1)财务会计报告的种类、格式、编制是否符合规定，会计处理方法的选用是否符合一贯性原则；(2)财务会计报告及其附注反映的内容是否真实、完整、准确、及时；(3)合并报表的编制是否符合规定，并遵守一致性原则，合并报表单位是否符合规定的范围，合并报表单位财务会计报告的内容是否真实；(4)财务会计报告是否根据登记完整、核对无误的账簿编制，账表是否相符，报表间具有钩稽关系的数字是否相符。

2. 对国有企业的资产，包括流动资产、长期投资、固定资产及其累计折旧、在建工程、无形资产、递延资产和其他资产进行审计监督。

对流动资产的审计内容包括：(1)货币资金、短期投资、应收及预付款项、存货等是否真实存在，并为企业所实际拥有；(2)各项收支或增减业务是否合法，记录是否完整；(3)存货计价是否正确，计价方法的采用前后期是否一致；(4)流动资产项目在财务会计报告上的反映是否恰当。

对长期投资的审计内容包括：(1)长期投资是否真实存在，并为企业所实际拥有；(2)投资业务是否符合国家规定，协议、合同有无损害国家利益和企业利益，计价核算是否正确，投资收益核算是否及时、正确；(3)长期投资效益是否达到预期目标；(4)长期投资在财务会计报告上的反映是否恰当。

对固定资产及其累计折旧的审计内容包括：(1)固定资产是否真实存在，并为企业所实际拥有；(2)核算是否及时、正确，计价是否正确;(3)固定资产折旧政策的采用是否合法,折旧计提是否正确;(4)固定资产及其累计折旧在财务会计报告上的反映是否恰当。

对在建工程的审计内容包括:(1)在建工程是否真实存在,并为企业所实际拥有;(2)增减变动的记录是否完整,核算内容是否正确、合规,有无挤占或漏计在建工程成本的行为;(3)已完工程是否及时办理交付使用手续,竣工决算是否正确;(4)在建工程年末余额是否正确,在财务会计报告上的反映是否恰当。

对无形资产、递延资产和其他资产的审计内容包括:(1)专利权、商标权、非专利技术、著作权、土地使用权、特许权、商誉等无形资产是否真实存在,并为企业所实际拥有,核算是否及时、正确,计价是否正确,摊销是否符合规定;(2)开办费、租入固定资产的改良支出和其他长期待摊费用核算是否正确,摊销是否合理;(3)无形资产、递延资产和其他资产在财务会计报告上的反映是否恰当。

3. 对国有企业负债,包括流动负债和长期负债,进行审计监督。

对流动负债的审计内容包括:(1)短期借款、应付票据、应付账款、预收账款、其他应付款、应付工资、应付福利费、应交税金、应付利润、预提费用等形成的合理性、合法性和偿付的及时性、合规性,及其记录的完整性;(2)验证流动负债余额的正确性,在财务会计报告上的反映是否充分。

对长期负债的审计内容包括:(1)长期借款、应付债券、长期应付款项等形成的合理性、合法性,本金和利息偿付的及时性、合规性,及其记录的完整性;(2)长期负债使用是否达到了预期效果;(3)验证长期负债余额的正确性,在财务会计报告上的反映是否充分。

4. 对国有企业所有者权益,包括实收资本、资本公积金、盈余公积金和未分配利润,进行审计监督。

对实收资本的审计内容包括:(1)投资者投入企业的资本是否经过验资,有无中途抽走资本的行为;(2)实收资本投入的比例结构是否合理、合法;(3)实收资本增减是否真实,并经过严格审批;(4)实收资本是否已在财务会计报告上恰当反映。

对资本公积金的审计内容包括:(1)资本公积金的来源是否合法,股本溢价、资产评估增值、接受捐赠等业务是否真实,核算是否正确,记录是否完整;(2)资本公积金在财务会计报告上的反映是否恰当。

对盈余公积金的审计内容包括:(1)税后利润是否按规定提取盈余公积金,数额是否正确;(2)盈余公积金的使用是否合法;(3)盈余公积金的核算是否正确,会计记录是否全面、完整;(4)盈余公积金在财务会计报告上的反映是否恰当。

对未分配利润的审计内容包括:(1)未分配利润构成是否真实、合法,数额是否正确;(2)未分配利润在财务会计报告上的反映是否恰当。

5. 对国有企业损益,包括收入、成本费用和利润,进行审计监督。

对收入的审计内容包括:(1)销售收入、其他业务收入形成的真实性、合法性,及其记录的完整性;(2)企业各项收入在财务会计报告上的反映是否恰当。

对成本、费用的审计内容包括:(1)生产成本、销售成本、期间费用、其他业务支出形成的真实性、合法性,计算的正确性,及其记录的完整性;(2)缴纳税款的记录是否完整、正确,应纳税所得额的计算是否正确,计税依据是否正确、前后期是否保持一致;(3)企业成本费用在财务会计报告上的反映是否恰当。

对利润的审计内容包括:(1)营业利润、投资净收益、营业外收支净额和以前年度损益调整形成的真实性、合法性,计算的正确性,及其记录的完整性;(2)可供分配的利润确定是否正确,是否按国家规定向投资者分配利润;(3)企业利润在财务会计报告上的反映是否恰当。

**第二十一条 对国有资本占控股地位或者主导地位的企业、金融机构的审计监督，由国务院规定。**

**【释义】** 本条是对国有资本占控股或者主导地位的企业、金融机构审计的规定。

国有资本占控股地位的企业、金融机构，是指国有资本占企业、金融机构总资本的50%以上的企业、金融机构，即通常所说的国有资本占绝对控股地位的企业、金融机构。在这些企业和金融机构中，国有资本的出资人在企业、金融机构的重大决策、选择管理者等的权利上享有绝对的控制权。国有资本占主导地位的企业、金融机构，是指国有资本在企业、金融机构的总资本中虽不超过50%，但占有较大比重，能够对该企业、金融机构的经营决策、选择管理者等行为产生决定性影响的企业、金融机构，即通常所说的国有资本占相对控股地位的企业、金融机构。这次修改审计法对本条作了两个方面的修改：一是将“国有资产占控股地位”修改为“国有资本占控股地位”，主要考虑的是国有投资主体以其财产向企业投资，形成企业的资本，作此修改表述更为准确；二是增加了对国有资本占控股地位或者主导地位的金融机构的审计监督规定。这主要是因为在审计法制定时，我国的金融机构基本上都是国有投资主体投资设立的。随着社会主义市场经济的发展和金融体制改革的深入，很多国有金融机构都进行了股份制改造，成为国有资本占控股地位或者主导地位的金融机构。

对国有资本占控股地位或者主导地位的企业、金融机构的审计，是一个比较复杂的问题。对这些企业、金融机构进行审计监督，应当十分慎重，并处理好维护国有资本权益与尊重和维护其他股东合法权益的关系。立法机关经过慎重考虑和认真研究，授权国务院对国有资本占控股地位或者主导地位的企业、金融机构的审计作出规定，以具体确定其审计监督的对象、内容和方式。

**第二十二条　审计机关对政府投资和以政府投资为主的建设项目的预算执行情况和决算，进行审计监督。**

**【释义】**　本条是对政府建设项目审计的规定。

政府建设项目的审计，包括对政府投资和以政府投资为主的建设项目的审计。政府投资的建设项目，是指建设项目资金全部由各级政府投资的建设项目；以政府投资为主的建设项目，是指建设项目资金主要由各级政府投资的建设项目。

政府建设项目审计的内容是建设项目的预算执行情况和决算，包括建设项目的总预算的执行情况、年度预算的执行情况和年度决算、项目竣工决算的真实、合法、效益。主要包括：(1)审查建设程序、建设资金筹集、征地拆迁等前期工作的真实性和合法性；(2)审查建设资金到位情况和资金管理与使用的真实性和合法性；(3)审查设备、材料核算的真实性、合法性和有效性；(4)审查预算审批、执行、调整的真实性和合法性；(5)审查债权债务的真实性和合法性；(6)审查税费计缴的真实性和合法性；(7)审查建设成本的真实性和合法性；(8)审查收入、结余资金的形成和分配的真实性和合法性；(9)审查工程价款结算与实际完成投资的真实性、合法性及工程造价控制的有效性；(10)审查交付使用资产的真实性和合法性；(11)审查未完工程投资的真实性和合法性；(12)审查年度财务会计报告、竣工决算报表的真实性和合法性等。

**第二十三条　审计机关对政府部门管理的和其他单位受政府委托管理的社会保障基金、社会捐赠资金以及其他有关基金、资金的财务收支，进行审计监督。**

**【释义】**　本条是对政府部门管理和受政府委托管理的有关基金、资金的审计的规定。

一、社会保障基金审计

我国的社会保障基金由社会保险基金(养老保险基金、失业保险基金、医疗保险基金和其他社会保险基金)、社会救济、社会福利、优抚安置等基金构成。社会保障基金审计是指审计机关对政府部门管理的和其他单位受政府部门委托管理的社会保障基金财务收支的真实、合法、效益进行的审计监督。其目的是保障养老、医疗、失业等社会保障制度的实施,促进我国现代社会保障体系的建立与完善,保证社会保障基金的安全与完整以及使用的经济效益与社会效益,保障人民群众基本生活的权益,维护社会的稳定。

审计机关对社会保险基金财务收支的下列内容进行审计监督:(1)社会保险基金财务收支的年度决算和财务会计报告及会计账簿、会计凭证是否真实、合法;(2)管理服务费的使用是否按照批准的计划执行;(3)有无擅自提高管理服务费的计提基数、计提标准和扩大开支范围等问题;(4)有无违反规定挪用社会保险基金弥补办公经费、搞基建项目等问题。

审计机关对社会救济、救灾、福利、优抚等社会保障基金财务收支的下列内容进行审计监督:(1)财政拨款和社会捐赠款、物是否按预算和计划落实到位,有无克扣款、物问题;(2)是否做到专款专用,有无挤占、挪用社会保障资金问题;(3)有无贪污、私分、挥霍浪费社会保障资金等违法行为等。

此外,审计机关还应当对社会保障基金财务管理的规章、制度是否健全、有效,财务和内部审计机构是否健全,能否有效地发挥核算监督和控制作用进行审计监督。

二、社会捐赠资金审计

社会捐赠资金是指国内国外政府机构、企事业单位、社会团体、民间组织和个人以及国际组织向我国科学研究、文化教育、抗灾救灾、社会福利、社会公益事业、社会慈善事业提供的各种形式的资金或实物。社会捐赠资金审计,是指审计机关对行政机关、企事业单位、社会团体及其他有关单位接收、分配、使用和管理社会捐赠资金的真实、合法、效益进行的审计监督。其目的是促进接受捐赠的部门、单位加强财务管理，保证社会捐赠资金筹集、分配、使用的真实、合法，提高社会捐赠资金使用的社会效益与经济效益。社会捐赠资金财务收支审计的主要内容是：(1)社会捐赠资金接收、分配、使用和管理单位的财务管理及内部控制制度是否健全、有效；(2)接收的捐赠款是否全部入账，并在银行开设专户，是否按照规定设置明细分类账；(3)接收捐赠资金的收据是否合规，收据存根与收入明细账，银行存款和现金是否相符；(4)增值收入是否转入捐赠收入科目；(5)分配、发放、使用捐赠款、物的手续和制度是否健全、合规；(6)分配、使用捐赠款、物是否按照捐赠者意愿或规定的用途专款专用，有无截留、挪用、私分和虚列支出等问题；(7)捐赠物资出入库有无内部控制制度，原始记录是否完整；(8)捐赠物资的变价处理是否按规定办理报批手续，价格是否合理。

三、其他有关基金、资金的审计

除社会保障基金、社会捐赠资金外，政府部门管理的和其他单位受政府委托管理的还有其他一些用于农业基础设施建设、环境保护、发展文化教育、科研、医疗卫生等事业的专项基金、资金，如大江大河治理工程基金、防洪工程基金、水利建设基金等农业专项基金，林业生态建设资金、天然林保护资金、环境监测网络建设资金、育林基金、防沙治沙专项资金等环境保护专项资金，国家自然科学基金，能源交通建设基金等。这些基金、资金通常由财政预算安排或者由管理单位依据有关法律、行政法规的规定向社会征收，用于特定用途。因此对这些基金、资金的财务收支的真实、合法、效益，也应当由审计机关进行审计监督。其审计监督的内容主要是：(1)审查有关基金、资金是否足额、按时拨付到位，是否按法定的项目和标准征收，有无擅自提高、降低征收比例或者减免的情况;(2)审查有关基金、资金是否有健全、有效的管理和内部控制制度,是否按规定提取、使用管理费;(3)审查有关基金、资金的使用制度是否符合国家有关规定,是否专款专用,有无挪用、损失浪费及贪污行为。

**第二十四条 审计机关对国际组织和外国政府援助、贷款项目的财务收支,进行审计监督。**

**【释义】** 本条是对国际组织和外国政府援助、贷款项目审计的规定。

国际组织和外国政府援助、贷款项目,是指国际组织、国际金融机构、外国政府及其机构向我国政府及其部门提供的贷款、援助及赠款项目,向我国金融机构和企事业单位提供的、由我国政府及其部门担保的贷款项目,向受我国政府委托管理有关基金、资金的社会团体提供的援助和赠款项目。对上述国际组织和政府援助、贷款项目的财务收支的真实、合法、效益进行审计监督,是为了保证项目财务报告和有关会计资料的真实性、完整性,维护国家利用外资法律、法规、制度的严肃性和我国的国际信誉,促进项目执行单位和政府主管部门积极、合理、有效地利用外资,促进国家利用外资政策、产业政策、国民经济和社会发展计划的落实。

国际组织和外国政府援助、贷款项目的财务收支审计的主要内容包括:

1. 对项目的会计资料进行审计监督,主要是:(1)财务会计报告编制的依据、格式、内容、程序、时间等与有关会计制度、项目协定和国际会计准则的符合程度,以及前后一致性;(2)财务会计报告中相关会计报表之间钩稽关系的符合程度;(3)会计报表和报表说明与有关会计账簿、会计凭证和其他有关证明文件、实物资产的一致性;(4)财务会计报告、会计账簿、会计凭证和会计档案管理的合规性。

2. 对项目的资金来源进行审计监督，主要是：(1)提取外资的进度、类别和比例遵守项目协定的情况，提款证明文件的完整性和真实性，审批手续的完备性，会计处理的及时性和准确性，以及按照项目协定及时、足额向下级项目单位拨付已提取外资的情况；(2)费用支出表或追溯报账方式，以及在外资账户关闭以后以偿付方式提取的外资，其垫付支出的范围、用途、限额、程序、支付日期、审批程序和会计处理遵守项目协定的情况；(3)按照项目协定，及时、足额筹集、拨付、核算和管理国内配套资金及其他项目融资的情况；(4)承担外债债务的项目单位按规定筹集还贷准备金，设置、使用和管理还贷准备金账户的情况，各项转贷利差、存款利息收入、提前回收的外债贷款本金、试生产收入等，按规定纳入还贷准备金管理的情况。

3. 对项目资金的运用进行审计监督，主要是：(1)建设成本的真实性和合规性；(2)实物资产的实存、使用和管理情况，会计处理的合规性，账实一致性；(3)往来账户或应收、应付账户收支的真实性和合规性，债权、债务事项处理的及时性，有无利用账户转移、挪用项目资金问题；(4)还贷准备金支出的合规性；(5)外汇业务的真实性和合规性。

4. 对项目的外币账户进行审计监督，主要是：(1)外资提供者拨付的开户资金、回补资金、利息收入及其他收入入账的及时性和准确性；(2)各项支出的合规性，重点检查各项支出是否用于项目协定规定的用途，审批手续和支出证明文件是否合规、齐全，应向下级项目单位拨付的报账资金是否及时、足额下拨，年末在途资金是否真实；(3)账户管理的合规性。

5. 对项目管理和资金使用效益进行审计监督，主要是：(1)项目管理系统，特别是内部控制系统、外债债务管理系统和防范外汇风险机制的健全性和有效性；(2)项目建设目标或计划执行目标、指标的实现程度；(3)项目预算确定的成本指标、定额的执行情况；(4)项目竣工后使用或运营的经济效益、社会效益、环境效益和外债偿还能力。

**第二十五条　审计机关按照国家有关规定，对国家机关和依法属于审计机关审计监督对象的其他单位的主要负责人，在任职期间对本地区、本部门或者本单位的财政收支、财务收支以及有关经济活动应负经济责任的履行情况，进行审计监督。**

**【释义】**　本条是对经济责任审计的规定。

经济责任审计是随着我国经济体制和干部人事制度改革的不断深入而建立和发展的。1986 年国务院颁布的《全民所有制工业企业厂长工作条例》规定，厂长离任前经过一定的程序，审计机关可以对其进行经济责任审计。审计署据此制定了相应的具体规定。近年来，随着国有企业和干部人事制度改革的进一步深化，对国有企业负责人的经济责任审计更加受到重视，有些地方还将对国有企业负责人经济责任审计的做法运用到对领导干部的评价考核工作中。经济责任审计经过多年实践，取得了一些有益的经验。为了推动这项工作的开展，1998 年发布的《审计署职能配置、内设机构和人员编制规定》将组织对党政领导干部的任期经济责任审计作为审计署的一项职能。1999 年 5 月中共中央办公厅、国务院办公厅颁布了《县级以下党政领导干部任期经济责任审计暂行规定》和《国有企业及国有控股企业领导人员任期经济责任审计暂行规定》，对经济责任审计作出了比较明确、具体的规定，审计署和有关部门还制定了这两个暂行规定的实施细则。从这些年的实践看，经济责任审计在加强干部监督管理，正确评价和使用干部，保障国家财产的安全、完整和保值、增值，促进廉政建设等方面发挥了积极作用。根据加强对国家机关领导干部和国有企业负责人监督的实际需要，这次修改审计法增加了经济责任审计的原则规定。

经济责任审计，是审计机关通过对国家机关和依法属于审计机关审计监督对象的其他单位的主要负责人所在地区、部门或者单位的财政收支、财务收支以及有关经济活动进行审计，以监督、评价该负责人经济责任履行情况的监督活动。理解经济责任审计的含义应当把握以下几点：

一是，经济责任审计的对象是规定范围内的有关国家机关和依法属于审计机关审计监督对象的其他单位的主要负责人，包括有关的国家行政机关、立法机关、审判机关、检察机关，国有金融机构和企业，国家的事业组织和使用财政资金的其他事业组织以及其他属于审计监督对象的单位的主要负责人。

二是，经济责任审计的内容是单位主要负责人在任职期间对本地区、本部门或者本单位的财政收支、财务收支以及有关经济活动应负经济责任的履行情况。对国家机关主要负责人来说，主要是审计其所在部门、单位财政收支、财务收支的真实、合法、效益，包括：预算的执行情况和决算或者财务收支计划的执行情况和决算；预算外资金的收入、支出和管理情况；专项基金的管理和使用情况；国有资产的管理、使用及保值增值情况；财政收支、财务收支的内部控制制度及其执行情况；其他需要审计的事项。通过审计，查清该负责人任职期间财政收支、财务收支工作目标完成情况，以及遵守国家财经法规情况等，分清该负责人对本部门、本单位财政收支、财务收支中不真实、资金使用效益差以及违反国家财经法规问题应当负有的责任；查清领导干部个人在财政收支、财务收支中有无侵占国家资产，违反领导干部廉政规定和其他违法违纪的问题。对国有的和国有资本占控股地位的企业、金融机构的主要负责人来说，主要是审计其所在企业、金融机构资产、负债、损益的真实性、合法性和效益性以及有关经济活动。包括：企业资产、负债、损益的真实性；国有资产的安全、完整和保值增值；企业对外投资和资产的处置情况；企业收益的分配；与上述经济活动有关的内部控制制度及其执行情况；其他需要审计的事项。通过审计，查清该负责人在任职期间与企业、金融机构资产、负债、损益目标责任制有关的各项经济指标的完成情况，以及遵守国家财经法规情况，分清该负责人对本企业资产、负债、损益不真实、投资效益差以及违反国家财经法规问题应当负有的责任；查清该负责人个人有无侵占国家资产，违反与财务收支有关的廉政规定和其他违法违纪的问题。

三是，经济责任审计属于任期审计，即在该负责人终止经济责任关系或者调离所在部门、单位、企业时，对其履行经济责任的情况所进行的审计。

四是，经济责任审计的目的不同于一般审计。一般审计的主要目的是维护国家财政经济秩序，提高财政资金使用效益，促进廉政建设，加强企业经营管理，保障国有资产保值增值。而经济责任审计的主要目的则是分清责任人任职期间在本地区、本部门、本单位经济活动中应当负有的责任，为组织人事部门和监察机关及其他有关部门考核评价干部和企业负责人提供参考依据。

**第二十六条　除本法规定的审计事项外，审计机关对其他法律、行政法规规定应当由审计机关进行审计的事项，依照本法和有关法律、行政法规的规定进行审计监督。**

**【释义】** 本条是对本法规定以外事项的审计的规定。

审计法根据我国的政治体制、基本经济社会制度和维护国家财政经济秩序，提高财政资金使用效益，促进廉政建设，保障国民经济和社会健康发展的需要，依据宪法，确立了国家审计监督范围和审计监督事项。国务院各部门和地方各级人民政府及其各部门的财政收支，国有的金融机构和企事业组织的财务收支，以及其他依照本法规定应当接受审计的财政收支、财务收支，都应当依法接受审计监督。国家审计机关对上述财政收支或者财务收支的真实、合法和效益，依法进行审计。本法对应由审计机关实施审计监督的事项作了规定，有关法律、行政法规可以根据宪法规定的原则，对本法规定以外某些事项的审计作出规定。需要指出的是，本法规定以外的审计监督事项，应当由法律、行政法规作出规定，对这些事项的审计监督也应当以本法和有关法律、行政法规为依据。

**第二十七条　审计机关有权对与国家财政收支有关的特定事项，向有关地方、部门、单位进行专项审计调查，并向本级人民政府和上一级审计机关报告审计调查结果。**

**【释义】**　本条是对专项审计调查的规定。

专项审计调查和审计是两个不同的概念。审计是指国家审计机关以被审计单位的财政收支、财务收支为对象，运用审计方法进行审核检查，收集和整理证据，确定其财政收支、财务收支的实际情况，依照法律、行政法规以及国家其他有关规定，进行审计评价，在法定职权范围内作出审计决定的活动。专项审计调查，则是指审计机关运用审计方法，对与国家财政收支有关的特定事项，向有关地方、部门和单位进行的专门调查活动。

依据审计署发布的审计机关专项审计调查准则的规定，专项审计调查的内容一般包括：国家财经法律、法规、规章和政策的执行情况；行业经济活动情况；有关资金的筹集、分配和使用情况；本级人民政府交办、上级审计机关统一组织或者授权以及本级审计机关确定的其他事项。审计机关进行专项审计调查应当注意以下几个方面：

1. 专项审计调查事项应当列入计划管理，审计机关可以单独确定项目，或者结合项目审计，进行专项审计调查。

2. 审计机关进行专项审计调查，应当成立专项审计调查组，制定专项审计调查方案。专项审计调查方案的主要内容应当包括调查的目标、范围、内容、程序、时间、人员分工等。

3. 审计机关进行专项审计调查，应当在实施调查前，向被调查单位送达专项审计调查通知书。专项审计调查通知书的内容包括被调查单位名称、调查的依据、范围、内容和时间等。审计机关结合项目审计开展专项审计调查的,可以只送达审计通知书,并在审计通知书中明确专项审计调查事宜。

审计机关应当将专项审计调查的结果形成专项审计调查报告。专项审计调查报告的内容一般包括:调查的范围、内容和起讫时间;被调查事项的基本情况;发现存在的问题及原因分析;调查结论和改进建议以及其他需要反映的情况和问题。审计机关结合项目审计实施专项审计调查的,应当将审计报告中反映的有关情况与调查结果一并汇总,形成专项审计调查报告。专项审计调查结果应当同时报告本级人民政府和上一级审计机关。

**第二十八条　审计机关根据被审计单位的财政、财务隶属关系或者国有资产监督管理关系,确定审计管辖范围。**

**审计机关之间对审计管辖范围有争议的,由其共同的上级审计机关确定。**

**上级审计机关可以将其审计管辖范围内的本法第十八条第二款至第二十五条规定的审计事项,授权下级审计机关进行审计;上级审计机关对下级审计机关审计管辖范围内的重大审计事项,可以直接进行审计,但是应当防止不必要的重复审计。**

**【释义】** 本条是对审计管辖范围如何确定的规定。

审计管辖范围是指审计机关(包括不同级别的审计机关和不同地区的审计机关)之间对审计事项进行审计的分工,从而明确某一审计事项应当接受哪一级审计机关的审计,以及由哪一个地区的审计机关进行审计的一项审计制度。划分并确定审计管辖范围:一是有利于审计机关明确各自的审计职责范围,各司其职,加强对其审计管辖范围内的审计事项的审计监督,避免相互推诿;二是使被审计单位能够了解自己应当接受哪一个审计机关的审计监督，增强其接受审计监督的自觉性；三是有利于审计机关的审计工作自觉接受被审计单位以及社会公众的监督，防止针对同一审计事项进行不必要的重复审计以及审计违法行为的发生。

本条规定确定了审计管辖范围的三项原则，即财政、财务隶属关系原则、国有资产监督管理关系原则以及指定管辖原则。

1. 财政、财务隶属关系原则。按照我国现行的财政管理体制，国家实行一级财政一级预算，分别设立中央，省、自治区、直辖市，设区的市、自治州，县、自治县、不设区的市、市辖区，乡、民族乡、镇五级预算。各级预算由本级人民政府各部门（含直属单位），即一级预算单位的预算组成。地方预算由各省、自治区、直辖市总预算组成。地方各级总预算由本级预算和汇总的下一级预算组成。这种预算组成关系即预算关系，决定了决算关系。预算关系、决算关系统称财政隶属关系。按照财政隶属关系原则确定审计管辖范围，是指被审计单位的财政收支隶属于哪一级政府财政，则由哪一级政府审计机关管辖。例如，国务院各部门（含直属单位）的财政收支隶属于中央财政，是审计署的管辖范围；省级各部门（含直属单位）的财政收支属于省级政府财政，是省级政府审计机关的审计管辖范围。乡级人民政府不设审计机关，乡级人民政府及其各部门的财政收支属于县级审计机关的审计管辖范围。

在财政隶属关系下，一级预算单位（包括本级预算各部门和直属单位）一般设有若干级核算单位，即二级、三级预算单位，它们与一级预算单位之间存在着财务上的报账核批关系或者会计核算上的汇总与被汇总关系，这就是财务隶属关系。按照这种关系，对二级、三级预算单位的财务收支审计由对一级预算单位有管辖权的审计机关管辖。例如，中国人民银行的分支机构与中国人民银行之间存在着财务隶属关系，其财务收支审计由审计署管辖。

2. 国有资产监督管理关系原则。随着我国社会主义市场经济体制的建立与完善，越来越多的国有企业与政府部门之间不再存在财政、财务隶属关系，无法依据财政、财务隶属关系确定审计管辖范围。但是，这些企业的国有资产要接受国家授权投资的机构或者其他部门的监督管理，这便形成了国有资产监督管理关系。按照国有资产监督管理关系原则确定审计管辖范围，是指某一单位或者企业的国有资产受哪一级国家授权投资的机构或者其他部门监督管理，其就属于对该授权投资的机构或者其他部门有审计管辖权的审计机关管辖。

3. 指定管辖原则。指定管辖是指在两个或者两个以上的审计机关对其审计管辖范围发生争议时，由其共同的上级审计机关确定由哪一个审计机关管辖。有权指定管辖权的审计机关，应当是发生争议的审计机关共同的上一级审计机关。例如，某一设区的市所辖的两个区审计机关之间的管辖权争议，由该市审计机关指定管辖。共同的上级审计机关对有争议的审计事项，一般应当指定争议各方中的一方审计机关进行审计，但是，在特殊情况下，也可以指定争议各方之外的第三方审计机关管辖。

除上述三项划分审计管辖范围的原则之外，本条还规定了审计管辖权的转移。审计管辖权的转移，是指经上级审计机关决定，将其审计管辖范围内的审计事项，交由下级审计机关进行审计，或者将原本属于下级审计机关审计管辖范围内的事项，转移至上级审计机关管辖。本条第三款规定了两种审计管辖权转移的情况：一是上级审计机关将其审计管辖范围内的审计事项，授权下级审计机关进行审计，即把授权审计事项的管辖权由上级审计机关转移至下级审计机关。上级审计机关能够授权的审计事项只能是本法第 18 条第二款至第 25 条规定的审计事项。对于本法其他条文规定的审计事项，则不能授权下级审计机关进行审计。二是上级审计机关对原本属于下级审计机关审计管辖范围内的重大审计事项直接进行审计。重大审计事项一般说来涉及的事项较为复杂，牵涉面广，审计结果可能有较大影响。赋予上级审计机关对重大审计事项直接进行审计的权力，有利于促进重大审计工作更好地开展。

**第二十九条　依法属于审计机关审计监督对象的单位，应当按照国家有关规定建立健全内部审计制度；其内部审计工作应当接受审计机关的业务指导和监督。**

**【释义】**　本条是对内部审计的规定。

广义上的审计包括国家审计、内部审计和社会审计。在经济社会生活中，国家审计、内部审计和社会审计分别独立开展审计活动，实现各自不同的功能。其中，国家审计与社会审计的机构和人员都是独立于被审计单位的，属于外部审计；内部审计则是指有关部门或者单位在其内部设立审计机构，对本部门或者本单位的财政收支、财务收支及其经济效益进行监督、检查和评价。建立内部审计机构，开展内部审计工作，是有关部门或者单位严格内部管理、强化内部监督约束机制、化解内部风险、提高资金使用效益或者经济效益的客观需要。本法主要规范的是国家审计，而对于内部审计，本法仅作了原则性的规定。

一个单位的内部审计应当主要由该单位自主决定，其内部审计机构和人员应当对本单位负责，受其监督。但依法属于审计机关审计监督对象的单位的内部审计工作，应当接受审计机关的业务指导和监督。

各级审计机关在指导和监督内部审计工作时，应注意着重进行宏观计划指导，避免过多过细的行政干预；重视内部审计工作的基础建设，帮助和引导部门、单位建立和健全内部审计机构。

**第三十条　社会审计机构审计的单位依法属于审计机关审计监督对象的，审计机关按照国务院的规定，有权对该社会审计机构出具的相关审计报告进行核查。**

**【释义】** 本条是对审计机关对社会审计机构出具的相关审计报告进行核查的规定。

社会审计机构，是指依法接受委托、独立执业、有偿提供审计及相关专业服务的会计师事务所。我国注册会计师法对于会计师事务所的设立程序、行业管理等有关问题作了明确的规定。

依据本条规定，审计机关对社会审计机构的相关审计报告进行核查应当满足以下几个方面的要求：

1. 社会审计机构审计的单位属于审计机关的审计监督对象。社会审计机构审计的单位不属于审计机关审计监督对象的，其审计报告不在本条规定的审计机关核查范围内。

2. 审计机关进行核查的对象应限于与其审计事项有关的审计报告。

3. 审计机关对社会审计机构出具的相关审计报告进行核查，应当遵守国务院的有关规定。

# 第四章　审计机关权限

**第三十一条　审计机关有权要求被审计单位按照审计机关的规定提供预算或者财务收支计划、预算执行情况、决算、财务会计报告，运用电子计算机储存、处理的财政收支、财务收支电子数据和必要的电子计算机技术文档，在金融机构开立账户的情况，社会审计机构出具的审计报告，以及其他与财政收支或者财务收支有关的资料，被审计单位不得拒绝、拖延、谎报。**

**被审计单位负责人对本单位提供的财务会计资料的真实性和完整性负责。**

**【释义】** 本条是对审计机关有权要求被审计单位提供有关资料的规定。

在审计工作中，审计人员通过审查会计凭证、会计账簿、财务会计报告，查阅与审计事项有关的文件、资料，检查现金、实物、有价证券，向有关单位和个人调查等方式进行审计。因此，赋予审计机关要求被审计单位报送有关资料的权力，是审计机关开展审计工作所必需的。被审计单位拒绝、拖延提供或者谎报有关资料的，应当承担相应的法律责任。

审计机关有权要求被审计单位提供的有关资料包括：

1. 预算或者财务收支计划。

2. 预算执行情况、决算、财务会计报告。预算执行情况是指人民政府及其各部门、有关单位在执行预算过程中的有关情况，包括预算收支进度，预算预备费的动用、预算周转金的动用以及预算收支平衡状况等。决算是年度预算执行结果的会计报告。决算由预算报表和文字说明两个部分组成，按照我国统一的决算体系逐级汇编而成。预算报表包括上级核定的预算数、本级调整预算数和决算数。其收入依据预算会计明细账的全年累计数填制，支出数依据各预算单位的决算数汇总填制。文字说明是年度预算执行情况的总结，包括收入完成情况，超收或短收原因；支出完成情况及超支结余的原因、主要经济事业支出的效果状况，预算管理的经验及问题等。财务会计报告，即反映单位财务状况或经营成果的书面文件，如资产负债表、损益表、现金流量表、附表及会计报表附注和财务情况说明书等。

3. 运用电子计算机储存、处理的财政收支、财务收支电子数据和必要的电子计算机技术文档。电子数据相对于纸质数据而言，是以电子形式储存、处理的数据。

4. 在金融机构开立账户的情况，包括开户银行的名称、账户类型、账号等有关情况。

5. 社会审计机构出具的审计报告。

6. 其他与财政收支或者财务收支有关的资料。

被审计单位负责人对本单位提供的财务会计资料的真实性和完整性负责。被审计单位提供的财务会计资料不真实或者不完整的，该单位负责人应当按有关法律、行政法规的规定承担相应的法律责任。

**第三十二条　审计机关进行审计时，有权检查被审计单位的会计凭证、会计账簿、财务会计报告和运用电子计算机管理财政收支、财务收支电子数据的系统，以及其他与财政收支、财务收支有关的资料和资产，被审计单位不得拒绝。**

**【释义】**　本条是对审计机关检查权的规定。

审计检查权是审计机关的一项重要职权，也是审计机关有效开展审计工作的重要保证。审计机关通过检查被审计单位的会计凭证等资料，目的在于获取有关证明材料，依据这些证明材料，发现违法行为，进行审计评价，作出审计决定。审计机关行使审计检查权，被审计单位不得拒绝，否则应当承担相应的法律责任。

依据本条规定，审计机关有权检查的内容包括：

1. 会计凭证。会计凭证是用来记载经济业务的发生，明确经济责任，作为记账根据的书面证明。按照编制程序和用途的不同，会计凭证可以分为原始凭证和记账凭证。检查会计凭证是审计的一种专门方法，通过检查会计凭证，不仅可以保证账簿记录的真实可靠性，而且可以检查各项经济业务是否合法、合理，从而促进被审计单位贯彻执行国家的财会制度。

2. 会计账簿。会计账簿是指连续、系统、全面地对各项经济业务进行序时和分类记载的簿籍，其按照分类的概括程度分为总分类账和明细分类账。

3. 财务会计报告。即反映单位财务状况或经营成果的书面文件，如资产负债表、损益表、现金流量表、附表及会计报表附注和财务情况说明书等。

4. 运用电子计算机管理财政收支、财务收支电子数据的系统。运用电子计算机管理财政收支、财务收支电子数据的系统是否安全可靠，是否存在“舞弊”功能，直接涉及该系统处理的财政收支、财务收支电子数据的真实、完整。

5. 其他与财政收支、财务收支有关的资料和资产。与财政收支、财务收支有关的资产，既包括被审计单位拥有的各种有形财产，也包括被审计单位拥有的各项无形财产以及财产权利。

**第三十三条　审计机关进行审计时，有权就审计事项的有关问题向有关单位和个人进行调查，并取得有关证明材料。有关单位和个人应当支持、协助审计机关工作，如实向审计机关反映情况，提供有关证明材料。**

**审计机关经县级以上人民政府审计机关负责人批准，有权查询被审计单位在金融机构的账户。**

**审计机关有证据证明被审计单位以个人名义存储公款的，经县级以上人民政府审计机关主要负责人批准，有权查询被审计单位以个人名义在金融机构的存款。**

**【释义】**　本条是对审计机关调查取证权的规定。

审计机关在实施审计活动过程中，不仅有权要求被审计单位按照审计机关的规定提供预算或者财务收支计划等有关资料，有权检查被审计单位的会计凭证、会计账簿、财务会计报告和运用电子计算机管理财政收支、财务收支电子数据的系统，以及其他与财政收支、财务收支有关的资料和资产，而且，还可以就审计事项的有关问题，向被审计单位以外的其他单位或者个人进行调查，取得有关证明材料。这是审计机关的调查取证权。与审计机关对有关资料和资产的检查权一样，赋予审计机关就审计事项的有关问题向有关单位和个人进行调查的权力，同样是为了保障审计工作的顺利开展。有关单位和个人有支持、协助审计调查的义务，如实向审计机关反映与调查事项有关的情况，提供有关的证明材料。

本条第二款、第三款是对审计机关查询被审计单位在金融机构的账户以及被审计单位以个人名义在金融机构的存款的规定。查询当事人在金融机构的账户或者存款，涉及金融机构对其储户存款的保密问题，尤其是对个人储户而言，其在银行等金融机构的存款涉及个人隐私，在法律上必须慎重对待。依据我国商业银行法的有关规定，商业银行办理个人储蓄存款业务，应当遵循为存款人保密的原则。对个人储蓄存款，商业银行有权拒绝任何单位或者个人查询、冻结、扣划，但法律另有规定的除外。对单位存款，商业银行有权拒绝任何单位或者个人查询，但法律、行政法规另有规定的除外；有权拒绝任何单位或者个人冻结、扣划，但法律另有规定的除外。赋予审计机关查询被审计单位在金融机构的账户以及被审计单位以个人名义在金融机构的存款的权力，是加强审计监督，维护国家财政经济秩序的客观需要。被审计单位在银行等金融机构的账户是被审计单位与其他单位资金往来的渠道，通过查询被审计单位在金融机构的账户，可以确认被审计单位的有关业务往来是否合法。此外，在审计工作中，审计机关有时发现被审计单位将单位公款以个人名义存储在商业银行或者其他金融机构。这种行为的背后往往隐藏有私设"小金库"、挪用公款、贪污、私分国有资产等违法犯罪问题。赋予审计机关查询被审计单位以个人名义在金融机构的存款，有利于进一步加强审计监督，维护国家财政经济秩序。

对于查询被审计单位在金融机构的账户以及被审计单位以个人名义在金融机构的存款，本条做了严格的限制性规定：

1. 查询被审计单位在金融机构的账户，必须经县级以上人民政府审计机关负责人批准，这里的负责人包括审计机关的正职和副职领导。查询被审计单位以个人名义在金融机构的存款，必须经县级以上人民政府审计机关主要负责人即正职领导批准。

2. 查询被审计单位以个人名义在金融机构的存款，除了必须经过县级以上人民政府审计机关主要负责人批准之外，事先还必须要有证据证明被审计单位以个人名义存储公款的事实存在。

**第三十四条　审计机关进行审计时，被审计单位不得转移、隐匿、篡改、毁弃会计凭证、会计账簿、财务会计报告以及其他与财政收支或者财务收支有关的资料，不得转移、隐匿所持有的违反国家规定取得的资产。**

**审计机关对被审计单位违反前款规定的行为，有权予以制止；必要时，经县级以上人民政府审计机关负责人批准，有权封存有关资料和违反国家规定取得的资产；对其中在金融机构的有关存款需要予以冻结的，应当向人民法院提出申请。**

**审计机关对被审计单位正在进行的违反国家规定的财政收支、财务收支行为，有权予以制止；制止无效的，经县级以上人民政府审计机关负责人批准，通知财政部门和有关主管部门暂停拨付与违反国家规定的财政收支、财务收支行为直接有关的款项，已经拨付的，暂停使用。**

**审计机关采取前两款规定的措施不得影响被审计单位合法的业务活动和生产经营活动。**

**【释义】** 本条是对审计行政强制措施的规定。

审计行政强制措施是指审计机关为了保证审计工作的顺利进行而采取的强制性临时处理措施。赋予审计机关一定的采取行政强制措施的权力是保证审计工作顺利进行的需要。审计机关在进行审计时，有的被审计单位通过转移、隐匿、篡改、毁弃会计凭证、会计账簿、财务会计报告以及其他与财政收支、财务收支有关的资料，或者转移、隐匿所持有的违反国家规定取得的资产，以逃避审计监督。对于被审计单位的上述行为以及其他违反国家规定的财政收支、财务收支行为，如果审计机关缺少必要的行政强制措施权，审计工作将无法有效开展，被审计单位的违法行为也不能得到有效制止。

审计机关进行审计时，被审计单位转移、隐匿、篡改、毁弃会计凭证、会计账簿、财务会计报告以及其他与财政收支或者财务收支有关的资料，转移、隐匿所持有的违反国家规定取得的资产的，审计机关有权予以制止。转移、隐匿有关资料或者资产是指被审计单位将会计凭证等有关资料或者所持有的违反国家规定取得的资产放置在不为外人知晓的隐秘场所，隐瞒有关资料和资产的信息；篡改、毁弃有关资料，是指被审计单位对上述资料进行伪造、变造、销毁，使其不能如实反映被审计单位的有关情况。被审计单位上述行为的目的，都是为了掩盖其违法行为，逃避审计机关的审计监督。

审计机关在必要时，经县级以上人民政府审计机关负责人批准，有权封存有关资料和违反国家规定取得的资产。“必要时”应当理解为审计机关对被审计单位的违法行为，经制止无效，且不采取封存有关资料和资产的措施就可能导致有关证据将丧失证据作用或者灭失的情况。依据本条的规定，对被审计单位在金融机构的有关存款，审计机关不能自行实施封存，必须申请人民法院依法予以冻结。需要说明的是，无论是审计机关封存有关资料和资产，还是人民法院冻结被审计单位在金融机构的存款，都应当遵循有关法律关于封存资料、冻结存款的程序性规定。

被审计单位正在进行的违反国家规定的财政收支、财务收支行为，审计机关有权予以制止，以纠正被审计单位的违反国家规定的财政收支、财务收支行为，减小违反国家规定的财政收支、财务收支行为的危害。制止无效的，经县级以上人民政府审计机关负责人批准，通知财政部门和有关主管部门暂停拨付与违反国家规定的财政收支、财务收支行为直接有关的款项，已经拨付的，暂停使用。这一措施可以阻止被审计单位继续从事违反国家规定的财政收支、财务收支行为，维护财政资金安全，促使被审计单位改正违法行为。

审计机关采取上述处理措施不得影响被审计单位合法的业务活动和生产经营活动。审计机关采取上述处理措施的目的在于确保审计活动的顺利实施，它不是审计机关对被审计单位的一种行政处罚。因此，在审计机关采取处理措施期间，被审计单位合法的业务活动和生产经营活动仍然照常进行，审计机关采取封存有关资料，通知财政部门和有关主管部门暂停拨付与违反国家规定的财政收支、财务收支行为直接有关的款项等措施，应当尽量避免给被审计单位合法的业务活动和生产经营活动造成不必要的损害和影响。采取处理措施的原因消灭的，审计机关应当及时解除封存措施或者申请人民法院解除对存款的冻结措施。

**第三十五条　审计机关认为被审计单位所执行的上级主管部门有关财政收支、财务收支的规定与法律、行政法规相抵触的，应当建议有关主管部门纠正；有关主管部门不予纠正的，审计机关应当提请有权处理的机关依法处理。**

**【释义】**　本条是对审计机关建议有关部门纠正违法规定的规定。

我国宪法和有关组织法规定，国务院各部、各委员会根据法律和国务院的行政法规、决定、命令，在本部门的权限内，发布命令、指示和规章。县级以上地方各级人民政府有权规定行政措施、发布决议和命令。这些命令、指示、规章和决定不得与国家的法律和行政法规相抵触。依照上述规定，审计机关认为被审计单位所执行的上级主管部门有关财政收支、财务收支的规定与法律、行政法规相抵触的，应当建议有关主管部门纠正。

有关主管部门不予纠正的，审计机关应当提请有权处理的机关依法处理。依照我国宪法和有关组织法的规定，国务院有权改变或者撤销各部、各委员会发布的不适当的命令、指示和规章；县级以上人民代表大会常务委员会有权撤销本级人民政府的不适当的决定和命令；县级以上地方各级人民政府有权改变或者撤销所属各工作部门的不适当的命令、指示和下级人民政府的不适当的决定、命令。因此，审计机关认为有关财政收支、财务收支的规定与法律、行政法规冲突的，应当向有权处理的机关提出。

**第三十六条　审计机关可以向政府有关部门通报或者向社会公布审计结果。**

**审计机关通报或者公布审计结果，应当依法保守国家秘密和被审计单位的商业秘密，遵守国务院的有关规定。**

**【释义】**　本条是对审计机关通报或者公布审计结果的规定。

审计机关向政府有关部门通报或者向社会公布审计结果，是审计监督的一项重要内容。审计机关向政府有关部门通报或者向社会公布审计结果,有利于更好地发挥审计监督职能。审计机关向政府有关部门通报审计结果,可以使有关部门了解被审计单位的财政收支、财务收支情况;向被审计单位的主管部门通报审计结果,有利于主管部门依据审计结果报告依法采取相应的处理、处罚措施;向政府宏观决策部门通报审计结果,有利于该部门依据相关信息进行科学决策。审计机关向社会公布审计结果是为了更好地保障社会公众的知情权,充分发挥舆论监督的作用。在现代社会,公民的知情权是一项重要的民主权利。维护公民的知情权要求政府机关将有关的政府信息尽量地告知社会公众,使得社会公众能够了解政府决策的背景、各项政策的实施效果等。

审计机关通报或者公布审计结果,应当依法保守国家秘密和被审计单位的商业秘密,遵守国务院的有关规定。"国家秘密"是指关系国家的安全和利益,依照法定程序确定,在一定时间内只限一定范围内的人员知悉的事项。它包括国家事务重大决策中的秘密事项,国防建设和武装力量活动中的秘密事项,维护国家安全活动和追查刑事犯罪中的秘密事项等。泄露国家秘密,会使国家的安全和利益遭受损害。"商业秘密"是指不为公众所知悉的,能为权利人带来经济利益,具有实用性并经权利人采取保密措施的技术信息和经营信息。审计机关公布审计结果如果泄露了被审计单位的商业秘密,势必侵犯被审计单位的合法权益,甚至会给被审计单位造成巨大的经济损失。因此,审计机关通报或者公布审计结果,应当依法保守国家秘密和被审计单位的商业秘密。此外,审计机关通报或者公布审计结果,还应当遵守国务院的有关规定。国务院规定不得通报或者公布的事项,审计机关不得通报或者公布;国务院规定应当通报或者公布的事项,审计机关应当通报或者公布。审计机关通报、公布审计结果,还应当按照国务院规定的方式、时限、程序进行。

**第三十七条　审计机关履行审计监督职责，可以提请公安、监察、财政、税务、海关、价格、工商行政管理等机关予以协助。**

**【释义】** 本条是对审计机关提请有关部门予以协助的规定。

行政机关在行政执法活动中，由于各自的职责权限分工的不同，往往需要其他有关部门给予必要协助。我国一些法律已经对行政机关之间的协助问题作了明确规定。例如，行政监察法第22条规定，监察机关在办理行政违纪案件中，可以提请公安、审计、税务、海关、工商行政管理等机关予以协助。税收征收管理法第5条规定，各有关部门和单位应当支持、协助税收征管机关依法执行职务。

审计机关的工作任务和职责权限的特点决定了其在审计工作中，特别是审计调查取证时，需要相关部门予以协助。例如，被审计单位有关责任人准备外逃或者审计人员在履行审计职责过程中人身权利受到侵害时，审计机关需要公安机关予以协助；开展企业审计时，需要工商行政管理部门提供企业注册登记等资料。为了加强工作联系和配合，近年来，审计署已经先后与最高人民法院、最高人民检察院、公安部、监察部等有关部门联合发文，就审计机关在审计工作中与有关部门加强协作配合的问题作了具体的规定。因此，有关审计机关提请其他有关机关予以协助的内容、程序等方面的问题，应当遵循上述相关规定。

# 第五章 审 计 程 序

**第三十八条 审计机关根据审计项目计划确定的审计事项组成审计组,并应当在实施审计三日前,向被审计单位送达审计通知书;遇有特殊情况,经本级人民政府批准,审计机关可以直接持审计通知书实施审计。**

**被审计单位应当配合审计机关的工作,并提供必要的工作条件。**

**审计机关应当提高审计工作效率。**

**【释义】** 本条是关于审计准备阶段和审计实施初始阶段程序的规定。

审计程序,是指审计监督活动中,审计机关和被审计单位双方必须遵循的步骤、方式和期限等。这是实现审计规范化,使审计监督工作有条不紊地顺利进行的重要保证,也是依法审计原则和独立审计原则的基本要求。审计程序一般包括三个阶段,即准备阶段、实施阶段和终结阶段。本条规定的是准备阶段和实施初始阶段的有关内容。

审计准备阶段是审计程序的第一阶段,这个阶段通常包括两项具体的工作内容:

1. 编制项目审计计划,确定审计事项。审计机关应当根据法律、法规和国家其他有关规定,按照本级政府要求和上级审计机关的部署,确定年度审计重点,对审计对象进行预测和分类,科学地编制审计计划,并确定审计事项。审计事项是指审计项目计划中确定的具体审计事项。本条对审计项目计划,主要是从组成审计组开展审计工作的根据的角度来规定的，至于审计项目计划本身如何编制、审计事项如何确定，在很大程度上属于审计机关的内部程序，一般不直接涉及与被审计单位的权利义务关系，因此本法未作规定。

2. 组成审计组。审计组是审计机关指派的实施审计活动的基本单位。审计事项确定后，审计机关应当根据审计事项的特点和要求，组织一定数量和质量的审计人员组成审计组。

审计实施阶段是审计程序的实质阶段。这个阶段的主要工作包括送达审计通知书、进入被审计单位、进行初步调查、评价内部控制制度，以及审查有关资料和检查现金、实物，取得证明材料等。本条规定了审计机关送达审计通知书这一重要工作环节，对审计机关向被审计单位送达通知书在时间上提出了明确要求，即审计通知书经审计机关领导签发后，应当在实施审计三日前送达被审计单位。之所以规定三日前送达，是为了强调审计通知书的严肃性，也是给被审计单位一定的准备时间，做好相应的配合、支持工作。但是，遇有特殊情况，经本级人民政府批准，审计机关可以直接持审计通知书实施审计。

依照本条第三款的规定，审计机关应当提高工作效率。审计工作是一项技术性很强的工作，审计机关和审计人员在保证审计质量的前提下要注意提高工作效率，不得无故拖延审计时间，影响被审计单位正常活动。高效率工作是建立在相应业务素质的基础上的，审计人员应当具有熟练地应用审计标准、程序和技术所需要的专业知识、基本能力方面的业务素质，注意保持和提高业务胜任能力。

**第三十九条　审计人员通过审查会计凭证、会计账簿、财务会计报告，查阅与审计事项有关的文件、资料，检查现金、实物、有价证券，向有关单位和个人调查等方式进行审计，并取得证明材料。**

**审计人员向有关单位和个人进行调查时，应当出示审计人员的工作证件和审计通知书副本。**

**【释义】** 本条是关于审计实施阶段程序的规定。

对审计事项实施审计检查，是审计实施阶段的主体部分。这部分工作主要是审计人员通过实施审计检查，取得审计证明材料。审计证明材料也就是通常所说的会计证据，是证明被审计单位财政收支、财务收支及其有关经济活动的事实，是审计机关对审计事项作出评价、判断，作出审计决定的客观依据。

审查分析会计资料，包括对会计凭证、账簿和报告的分析，主要包括：

1. 审查分析财务会计报告。包括对其形式要件的审查，看被审计单位所编制的各种财务报告是否符合规定和要求，表页、表内项目、指标是否齐全；审阅各报表之间的钩稽关系；审查各报表内相关数字的钩稽关系；审查报告说明，附注等。

2. 审查分析各类账户。重点审查容易发生差错或易于弄虚作假的账户；审查分析各类账户记录的增减变动情况，判断业务的真实性和数据的真实性；核实账户余额，包括总账和明细账。

3. 抽查有关凭证，以确定账簿记录的真实性，以及数据所反映的经济业务是否合理、合法。

4. 复算和询证。审计人员要对被审计单位所计算的结果进行复算，以确定是否有故意歪曲计算结果的弊端或者无意造成的计算差错。另外，审计人员在审查中，发现有疑点时，可向有关单位和个人以函询或者面询的方式进行调查。

审计人员在审查分析有关书面材料后，还应对有关盘存的账户所记录的内容进行实物盘点，以取得实物证据。如实物较多，审计人员应按可能性、必要性、重要性的原则，有选择地进行重点盘点。另外，要注意搜集、取证能证明审计事项的原始资料、有关文件、实物等，不能取得原始资料、有关文件和实物的，可以采取复制、拍照等方法取得证明材料。审计人员向有关单位和个人调查取得的证明材料，应当有提供者的签名或者盖章；未取得签名或者盖章的，应注明原因。

依照本条第二款的规定，审计人员向有关单位和个人进行调查时，应当出示审计人员的工作证件和审计通知书副本，以符合行政程序的要求，表明其身份，这样规定也有利于维护被审计单位的正当利益，如果其不出示工作证件和审计通知书副本，有关单位和人员有权拒绝接受调查。

**第四十条　审计组对审计事项实施审计后，应当向审计机关提出审计组的审计报告。审计组的审计报告报送审计机关前，应当征求被审计对象的意见。被审计对象应当自接到审计组的审计报告之日起十日内，将其书面意见送交审计组。审计组应当将被审计对象的书面意见一并报送审计机关。**

**【释义】**　本条是关于审计终结阶段审计报告程序的规定。

审计终结阶段是审计程序的最后阶段，是反映审计结果的阶段。这个阶段的主要工作包括提出审计报告、作出审计决定，将审计资料整理归档，以及监督审计决定的执行等内容。本条只对审计终结阶段的报告程序这一基本的程序环节作出了规定。

本条规定的审计组的审计报告是审计机关内部的工作报告，也就是审计组向审计机关提出的审计事项的工作报告。这种报告只反映审计事实和审计组的初步意见，不是审计机关的最后结论，对被审计对象不产生法律上的约束力。审计组的审计报告主要内容包括：(1)审计范围、内容、方式和时间以及对被审计单位基本情况的简要概括；(2)与审计事项有关的事实；(3)对审计事项的评价；(4)法律、法规和国家其他有关规定的依据；(5)对审计事项的初步结论，包括出具审计意见书和作出审计决定的初步意见和建议等。审计报告一般要符合下列要求：(1)内容要规范完整；

(2)观点和材料要统一;(3)有恰当的标题和名称;(4)文字精练、准确,层次结构清晰等。

审计组的审计报告在报送审计机关以前,应当按照规定征求被审计对象的意见。这是审计监督活动规范化、民主化的具体体现,有利于提高审计工作的质量,保护被审计对象的合法权益。被审计对象的意见是审计机关审定审计组的审计报告需要研究的重要内容之一,但这不影响审计机关对审计事项依法作出独立的评价和判断。

依照本条规定,被审计对象应当自接到审计组的审计报告之日起十日内,将其书面意见送交审计组。规定这一期限便于督促被审计对象及时反馈意见。同时还规定审计组应当将其审计报告连同被审计对象的书面意见一并报送审计机关,以使审计机关了解更全面的情况,维护被审计对象的合法权益。

**第四十一条　审计机关按照审计署规定的程序对审计组的审计报告进行审议,并对被审计对象提出的意见一并研究后,提出审计机关的审计报告;对违反国家规定的财政收支、财务收支行为,依法应当给予处理、处罚的,在法定职权范围内作出审计决定或者向有关主管机关提出处理、处罚的意见。**

**审计机关应当将审计机关的审计报告和审计决定送达被审计单位和有关主管机关、单位。审计决定自送达之日起生效。**

**【释义】** 本条是关于审计机关提出审计报告及作出审计决定程序的规定。

审计机关审议审计组的审计报告,是指审计机关对审计组提出的审计报告所列的审计事项的内容进行复核、审理,作出最后判断和最终评价的活动。这是审计程序不可缺少的环节,是审计机关提出审计机关的审计报告、作出审计决定和提出处理、处罚意见的前提和基础,是必经的程序。

审计机关审议审计组的审计报告、研究被审计对象提出的意见,应当着重考虑下列内容:审计事项的事实是否清楚,收集的证明材料是否符合客观性、相关性、充分性和合法性;运用的法律、法规和国家其他的有关规定是否准确;提出的审计意见是否可行,定性是否准确,提出的处理、处罚意见是否恰当;对被审计单位的意见是否进行了认真研究,审计程序是否遵循了法定程序等。

依照本条规定,审计机关对违反国家规定的财政收支、财务收支行为,应当依法给予处理、处罚的,在法定职权范围内有两种处理方式:

1. 作出审计决定。审计决定是审计机关作出的对被审计单位违反国家规定的财政收支、财务收支行为依法进行处理、处罚的法律文书。审计决定具有约束力,被审计单位应当执行。

2. 审计机关向有关主管机关提出处理、处罚的意见。有关主管机关应当依法予以处理。

依照本条规定,审计机关应当将审计机关的审计报告和审计决定及时送达被审计单位和有关主管机关、单位。审计机关应抓紧工作,提高效率,及时出具审计决定和处理、处罚的意见。审计决定自送达之日起生效。接到审计决定的被审计单位应当按照审计决定的要求在规定的期限内,执行审计决定。审计机关依法责令被审计单位上缴应当上缴的款项,被审计单位拒不执行的,审计机关应当通报有关主管部门,有关主管部门应当依照有关法律、行政法规的规定予以扣缴或者采取其他处理措施,并将结果书面通知审计机关。被审计单位对审计机关作出的有关财务收支的审计决定不服的,可以依法申请行政复议或者提起行政诉讼。被审计单位对审计机关作出的有关财政收支的审计决定不服的,可以提请审计机关的本级人民政府裁决,本级人民政府的裁决为最终决定。

**第四十二条　上级审计机关认为下级审计机关作出的审计决定违反国家有关规定的，可以责成下级审计机关予以变更或者撤销，必要时也可以直接作出变更或者撤销的决定。**

**【释义】** 本条是关于上级审计机关纠正下级审计机关违反国家规定的审计决定的规定。

审计工作是一项政策性和技术性很强的工作，它要求审计机关和审计人员根据有关法律、法规和国家的有关规定，以科学的方法对被审计单位的财政、财务收支活动进行审计监督，作出审计评价，提出审计报告。为防止有的下级审计机关及其审计人员因业务水平、行政干预或者违法渎职等原因，作出的审计决定违反国家规定，如认定事实不清、证据不足，或者适用法律、法规或者国家其他有关规定不当，违反法定程序，超越或者滥用职权等，本条规定上级审计机关对下级审计机关作出的违反国家有关规定的审计决定的纠正程序，即上级审计机关认为下级审计机关作出的审计决定违反国家有关规定的，可以责成下级审计机关予以变更或者撤销，在必要时，上级审计机关也可以直接作出变更或者撤销的决定。这样才能更好地保证审计机关作出的审计决定的正确性、合法性。

# 第六章　法律责任

**第四十三条　被审计单位违反本法规定，拒绝或者拖延提供与审计事项有关的资料的，或者提供的资料不真实、不完整的，或者拒绝、阻碍检查的，由审计机关责令改正，可以通报批评，给予警告；拒不改正的，依法追究责任。**

**【释义】**　本条是对被审计单位拒绝或者拖延提供有关资料、提供资料不真实、不完整或者拒绝、阻碍检查的违法行为处罚的规定。

审计机关依法实施审计时，有的被审计单位向审计机关和审计人员提供虚假的会计资料，或者只提供部分会计资料，或者以各种借口拖延提供会计资料，致使会计责任和审计责任难以分清，"假账真审"问题时有发生，严重影响了审计工作的正常进行。因此，对不提供真实会计资料、拖延或者拒绝提供会计资料的违法行为，应当给予相应的处罚。

对于被审计单位违反本法规定，拒绝或者拖延提供与审计事项有关的资料的，或者提供的资料不真实、不完整的，或者拒绝、阻碍检查的，由审计机关责令改正，可以通报批评，给予警告。所谓责令改正，是指要求违法者立即改正错误，纠正违法行为。责令改正具有强制性。通报批评，是一种公开形式的谴责，比如，登报批评，在有关文件上点名批评等。警告，是对实施违法行为，不履行法律规定义务的人的谴责和惩戒，是一种既具有教育性质又具有强制性质的较轻的处罚形式。审计机关根据被审计单位违法行为的情节轻重，作出上述不同形式的处罚。

被审计单位对于审计机关作出的处罚决定应当执行，如果拒绝改正错误，继续实施违法行为，应当依法追究其责任。这里讲的追究责任，主要是指追究行政责任，包括行政处分和行政处罚。所谓行政处分，狭义上是指行政机关对国家行政工作人员违法行为的制裁，是行政机关的内部管理行为。按照公务员法的规定，处分分为：警告、记过、记大过、降级、撤职、开除 6 种。行政处罚，是作为行政管理对象的公民、法人或者其他组织违反行政法律、法规所承担的法律责任。行政处罚的具体形式包括警告、罚款、没收违法所得等。如果被审计单位拒不改正错误，可根据情节给予处罚。

**第四十四条　被审计单位违反本法规定，转移、隐匿、篡改、毁弃会计凭证、会计账簿、财务会计报告以及其他与财政收支、财务收支有关的资料，或者转移、隐匿所持有的违反国家规定取得的资产，审计机关认为对直接负责的主管人员和其他直接责任人员依法应当给予处分的，应当提出给予处分的建议，被审计单位或者其上级机关、监察机关应当依法及时作出决定，并将结果书面通知审计机关；构成犯罪的，依法追究刑事责任。**

**【释义】**　本条是对被审计单位违反本法规定转移、隐匿、篡改、毁弃会计凭证、会计账簿、财务会计报告等有关资料，转移、隐匿违反国家规定取得的资产，对有关责任人员处罚的规定。

按照本法第 34 条规定，审计机关进行审计时，被审计单位不得转移、隐匿、篡改、毁弃会计凭证、会计账簿、财务会计报告以及其他与财政收支或者财务收支有关的资料，不得转移、隐匿所持有的违反国家规定取得的资产。如果被审计单位违反了这一条的规定，就构成了本条规定的违法行为。这里所说的“资产”，是指被审计单位拥有或者控制的能以货币计量的经济资源，包括各种资产、债权和其他权利。违反国家规定取得的资产，可以表现为：隐瞒、截留应当上缴国家的税金、利润或者其他财政收入；虚报冒领、骗取国家财政拨款或者补贴；动用国库款项等。转移、隐匿违反国家规定取得的资产，目的是使审计人员查不到这些非法取得的资金和资产。

如果被审计单位有本条所列的违法行为，审计机关认为对直接负责的主管人员和其他直接责任人员依法应当给予处分的，审计机关应当向被审计单位或者该被审计单位的上级机关、监察机关提出给予处分的建议。为了及时制裁责任人员的违法行为，被审计单位或者其上级机关、监察机关应当积极配合，在接到审计机关提出的对有关责任人员处分的建议后，应当依法及时作出处理，并将处理结果以书面形式通知审计机关。这里所说的"直接负责的主管人员"，是指在被审计单位的违法行为中负有直接领导责任的人员，包括违法的决策人，事后对单位违法行为予以认可和支持的领导人员，以及由于疏于管理或者放任，因而对单位违法行为负有不可推卸的责任的领导人员。这里所说的"直接责任人员"，是指直接实施单位违法行为的人员。

对于转移、隐匿、篡改、毁弃财务会计资料，转移、隐匿违反国家规定取得的资产的行为，依照我国刑法有关规定构成犯罪的，应依法追究刑事责任。例如，根据刑法第201条的规定，纳税人采取伪造、变造、隐匿、擅自销毁账簿、记账凭证，在账簿上多列支出或者不列、少列收入，经税务机关通知申报而拒不申报或者进行虚假的纳税申报的手段，不缴或者少缴应纳税款，偷税数额占应纳税额的10%以上不满30%并且偷税数额在1万元以上不满10万元的，或者因偷税被税务机关给予二次行政处罚又偷税的，处3年以下有期徒刑或者拘役，并处偷税数额1倍以上5倍以下罚金；偷税数额占应纳税额的30%以上并且偷税数额在10万元以上的，处3年以上7年以下有期徒刑，并处偷税数额1倍以上5倍以下罚金。扣缴义务人采取前述手段，不缴或者少缴已扣、已收税款，数额占应缴税款的10%以上并且数额在1万元以上的，依照前述规定处罚。对多次犯有上述违法行为，未经处理的，按照累计数额计算。此外，如果为贪污、挪用公款、侵占企业财产、私分国有资产、私分罚没财产，而实施转移、隐匿、篡改、毁弃会计凭证、会计账簿、财务会计报告以及其他与财政收支或者财务收支有关的资料的行为，应当按照刑法的有关规定分别定罪、处罚。

**第四十五条　对本级各部门（含直属单位）和下级政府违反预算的行为或者其他违反国家规定的财政收支行为，审计机关、人民政府或者有关主管部门在法定职权范围内，依照法律、行政法规的规定，区别情况采取下列处理措施：**

**（一）责令限期缴纳应当上缴的款项；**

**（二）责令限期退还被侵占的国有资产；**

**（三）责令限期退还违法所得；**

**（四）责令按照国家统一的会计制度的有关规定进行处理；**

**（五）其他处理措施。**

**【释义】**　本条是对政府部门违反预算或者其他违反国家规定的财政收支行为处理的规定。

按照本条规定，审计机关、人民政府或者有关主管部门对本级各部门和下级政府违反预算的行为或者其他违反国家规定的财政收支行为，在法定职权范围内，依照法律、行政法规的规定采取处理措施。属于审计机关法定职权范围内的，应由审计机关依照有关法律、行政法规的规定予以处理；属于政府或者有关主管部门职权范围内的，应当交由政府或者有关主管部门依法处理。

按照本条规定，审计机关、人民政府或者有关主管部门在法定职权范围内，依照法律、行政法规的规定，区别情况采取下列处理措施：

1. 责令限期缴纳应当上缴的款项。被审计单位应当在规定期限内缴纳应当上缴而没有上缴的款项。

2. 责令限期退还被侵占的国有资产。国有资产是指国家以各种形式投资及收益、接受馈赠或者凭借国家权力取得,或者依据法律认定的各种类型的财产和财产权利。国家保护国有资产,任何单位和个人都不得侵占和损害。被审计单位应当在规定期限内退还所侵占的国有资产。

3. 责令限期退还违法所得。被审计单位应当在规定期限内对违法所得予以退还。

4. 责令按照国家统一的会计制度的有关规定进行处理。这里讲的"国家统一的会计制度",是指国务院财政部门依据会计法制定的关于会计核算、会计监管等会计管理的制度。被审计单位应当按照国家统一的会计制度进行处理。

5. 除此以外,审计机关、人民政府或者有关主管部门还可以采取其他的纠正措施。

**第四十六条　对被审计单位违反国家规定的财务收支行为,审计机关、人民政府或者有关主管部门在法定职权范围内,依照法律、行政法规的规定,区别情况采取前条规定的处理措施,并可以依法给予处罚。**

**【释义】** 本条是对被审计单位违反国家规定的财务收支行为的处理、处罚的规定。

对于审计查出被审计单位违反国家规定的财务收支行为,审计机关、人民政府或者有关主管部门应当在法定的各自的职权范围内,区别情况采取本法第45条规定的措施。即责令限期缴纳应当上缴的款项;责令限期退还被侵占的国有资产;责令限期退还违法所得;责令按照国家统一的会计制度的有关规定进行处理以及采取其他处理措施。审计机关、人民政府或者有关主管部门依照法律、行政法规的规定,还可以对被审计单位给予处罚。

**第四十七条　审计机关在法定职权范围内作出的审计决定，被审计单位应当执行。**

**审计机关依法责令被审计单位上缴应当上缴的款项，被审计单位拒不执行的，审计机关应当通报有关主管部门，有关主管部门应当依照有关法律、行政法规的规定予以扣缴或者采取其他处理措施，并将结果书面通知审计机关。**

**【释义】**　本条是对被审计单位拒不执行审计决定采取的处理措施的规定。

按照本条第一款的规定，审计机关在法定职权范围内作出的审计决定，被审计单位应当执行。审计决定，是指审计机关对违反国家规定的财政收支、财务收支行为，需要依法给予处理或者处罚而所作出的处理、处罚的决定。审计决定是审计机关作出的有法律效力的决定，被审计单位应当执行。

按照本条第二款的规定，审计机关依法责令被审计单位上缴应当上缴的款项，如果被审计单位拒不执行的，审计机关为了保证审计决定的执行，维护审计决定的严肃性，应当通报有关主管部门，如税务机关、财政部门等主管部门。有关主管部门在接到审计机关的通报后，应当依照有关法律、行政法规的规定予以扣缴，或者采取其他处理措施。如财政部门可从给该被审计单位的财政拨款中扣除应当上缴的款项。有关主管部门对被审计单位的违法行为采取处理措施后，应当将处理结果书面通知审计机关。

**第四十八条　被审计单位对审计机关作出的有关财务收支的审计决定不服的，可以依法申请行政复议或者提起行政诉讼。**

**被审计单位对审计机关作出的有关财政收支的审计决定不服的，可以提请审计机关的本级人民政府裁决，本级人民政府的裁决为最终决定。**

**【释义】**　本条是被审计单位对审计机关作出的审计决定不

服的救济途径的规定。

按照本条第一款的规定，被审计单位对审计机关作出的有关财务收支的审计决定不服的，可以依法申请行政复议或者提起行政诉讼。这里讲的“依法”，是指依照行政复议法和行政诉讼法。所谓行政复议，是指公民、法人或者其他组织认为具体行政行为侵犯其合法权益，依法向法律、行政法规规定的行政机关提出申请，由受理申请的行政机关对原具体行政行为进行重新审查并作出裁决的活动和制度。所谓行政诉讼，是指公民、法人或者其他组织认为行政机关和行政机关工作人员的具体行政行为侵犯其合法权益，依法向人民法院提起诉讼，由人民法院进行审理并作出裁判的诉讼制度。本条对不服审计机关就财务收支作出的审计决定的救济途径，赋予被审计单位以选择权。被审计单位既可以先向审计机关申请复议，对复议决定不服或者复议机关未在法定期间内作出复议决定的，再向人民法院提起诉讼；也可以不申请复议，直接向人民法院提起诉讼，由被审计单位选择。

1. 行政复议。被审计单位对审计机关作出的有关财务收支的审计决定不服的，可以依法申请复议。按照行政复议法的规定，被审计单位认为审计机关所作出的审计决定侵犯其合法权益的，可以自知道具体审计决定之日起 60 日内提出行政复议申请。因不可抗力或者其他正当理由耽误法定申请期限的，申请期限自障碍消除之日起继续计算。对地方审计机关作出的审计决定不服的，被审计单位可以向上一级审计机关申请行政复议，也可以向本级人民政府申请行政复议。对审计署作出的审计决定不服，向审计署申请行政复议。

2. 行政诉讼。被审计单位对审计机关作出的有关财务收支的审计决定不服的，可以先向审计机关申请行政复议，被审计单位不服复议决定的，可以在收到复议决定书之日起 15 日内向人民法院提起诉讼。复议机关逾期不作决定的，被审计单位可以在复议期满之日起15日内向人民法院提起诉讼。被审计单位也可以直接向人民法院提起行政诉讼,但是应当在知道作出审计决定之日起3个月内提出。因不可抗力或者其他特殊情况耽误法定期限的,可以申请延长期限,由人民法院决定。

3. 按照有关法律规定,被审计单位一旦申请行政复议,审计机关已经依法受理的,对行政复议决定不服再向人民法院提起行政诉讼,在法定行政复议期限内不得向人民法院提起行政诉讼。被审计单位向人民法院提起行政诉讼,人民法院已经依法受理的,不得申请行政复议。

按照本条第二款的规定,被审计单位对审计机关作出的有关财政收支的审计决定不服的,可以提请审计机关的本级人民政府裁决,本级人民政府的裁决为最终决定。有关财政收支的审计决定,主要是指根据本法第45条的规定,对本级各部门和下级政府违反预算的行为或者其他违反国家规定的财政收支行为所作出的审计决定。这里规定的提请政府裁决的救济措施,与行政复议、行政诉讼的救济措施不同,是属于一种内部行政救济。由于本款规定的申请救济的主体是本级各部门和下级政府,而且其违法行为是违反预算或者违反国家规定的财政收支行为,属于政府内部的事项,这类纠纷,被审计单位不能通过行政复议和行政诉讼的外部途径寻求救济和保护,而只能在政府内部寻求救济。被审计单位可以提请审计机关的本级人民政府裁决,本级人民政府的裁决为最终裁决。

**第四十九条　被审计单位的财政收支、财务收支违反国家规定,审计机关认为对直接负责的主管人员和其他直接责任人员依法应当给予处分的,应当提出给予处分的建议,被审计单位或者其上级机关、监察机关应当依法及时作出决定,并将结果书面通知审计机关。**

【释义】 本条是对被审计单位违反国家规定的财政收支、财务收支行为直接负责的主管人员和其他直接责任人员处罚的规定。

这里讲的“直接负责的主管人员和其他直接责任人员”，是指在被审计单位的违法行为中负有直接领导责任的人员，包括违法行为的决策人，事后对单位违法行为予以认可和支持的领导人员，以及由于疏于管理或者放任，因而对单位违法行为负有不可推卸的责任的领导人员。这里所说的“直接责任人员”，是指直接实施单位违法行为的人员。

审计机关认为对直接负责的主管人员和其他直接责任人员依法应当给予处分的，应当向被审计单位或者被审计单位的上级机关、监察机关提出给予处分的建议。被审计单位或者被审计单位的上级机关、监察机关接到审计机关的处分建议后，应当依法及时作出给予处分的决定，并将处理结果书面通知审计机关。

**第五十条 被审计单位的财政收支、财务收支违反法律、行政法规的规定，构成犯罪的，依法追究刑事责任。**

【释义】 本条是对被审计单位财政收支、财务收支的违法行为追究刑事责任的规定。

被审计单位的财政收支、财务收支违反法律、行政法规，依照刑法的规定构成犯罪的，依法追究刑事责任。例如，根据刑法第201条的规定，纳税人采取伪造、变造、隐匿、擅自销毁账簿、记账凭证，在账簿上多列支出或者不列、少列收入，经税务机关通知申报而拒不申报或者进行虚假的纳税申报的手段，不缴或者少缴应纳税款，偷税数额占应纳税额的10%以上不满30%并且偷税数额在1万元以上不满10万元的，或者因偷税被税务机关给予二次行政处罚又偷税的，处3年以下有期徒刑或者拘役，并处偷税数额1倍以上5倍以下罚金；偷税数额占应纳税额的30%以上并且偷税数额在10万元以上的，处3年以上7年以下有期徒刑，并处偷税数额1倍以上5倍以下罚金。扣缴义务人采取前述手段，不缴或者少缴已扣、已收税款，数额占应缴税款的10%以上并且数额在1万元以上的，依照前述规定处罚。对多次犯有上述违法行为，未经处理的，按照累计数额计算。

**第五十一条　报复陷害审计人员的，依法给予处分；构成犯罪的，依法追究刑事责任。**

**【释义】**　本条是对报复陷害审计人员行为的处罚规定。

报复陷害审计人员，构成犯罪的，依法追究刑事责任。由于审计监督工作的特殊性，审计机关揭露和查处问题，容易得罪人，可能遭受打击报复。本法已经规定，不得打击报复审计人员。本条对于报复陷害审计人员的规定了行政责任和刑事责任。根据刑法的规定，报复陷害罪，是指国家机关工作人员滥用职权、假公济私，对控告人、申诉人、批评人、举报人实行报复陷害的行为。构成本条犯罪，须具备以下条件：(1)犯罪的主体是国家机关工作人员，非国家机关工作人员实施报复陷害行为，不构成本条的犯罪。(2)客观上滥用职权、假公济私，对批评人等人员实行报复陷害的行为。滥用职权，是指国家机关工作人员违背职责的规定而行使职权。假公济私，是指国家机关工作人员以工作为名，为徇私情或者实现个人的目的而利用职务上的便利。报复陷害，是指利用手中的权力，以种种借口进行迫害，具体使用何种手段，对构成本罪没有影响。对于构成犯罪的，依照刑法的规定处2年以下有期徒刑或者拘役；情节严重的，处2年以上7年以下有期徒刑。

报复陷害审计人员不构成犯罪的，则应根据行为人行为的情节轻重，给予警告、记过、降级、撤职等具体形式的处分。

**第五十二条　审计人员滥用职权、徇私舞弊、玩忽职守或者泄露所知悉的国家秘密、商业秘密的，依法给予处分；构成犯罪的，依**

**法追究刑事责任。**

**【释义】** 本条是对审计人员违反本法规定应受处罚的规定。

审计人员是从事审计监督的国家工作人员，是代表国家执法的人员，肩负着加强国家审计监督，维护国家财政经济秩序的重任。审计人员是指在审计机关专门从事审计工作的人员。按照本法规定，审计人员在办理审计事项时，应当客观公正，实事求是，廉洁奉公，保守秘密，必须忠于职守、秉公执法。如果知法犯法，违法犯罪，造成的影响和危害是十分严重的，不仅会损害被审计单位的利益，还会破坏党风和社会风气，损害党和政府的信誉。因此，对于审计人员滥用职权、徇私舞弊、玩忽职守，泄露国家秘密和商业秘密的，必须依法追究法律责任。

滥用职权，是指国家机关工作人员行使职权违反法律规定的权限和程序或者超越法定权限行使职权。徇私舞弊，是指为了私情或者谋取私利，从个人利益出发，故意违反事实和法律，作枉法处理或者枉法决定。玩忽职守，是指国家机关工作人员不履行或者不正确履行法律规定的职责。所谓不履行，就是职责上的不作为，不尽职责或者擅离职守；所谓不正确履行职责，就是对本职工作马马虎虎，漫不经心，不负责任。

按照本法规定，审计人员对其在执行职务中知悉的国家秘密和被审计单位的商业秘密，负有保密的义务。这里讲的国家秘密，是指关系国家安全和利益，依照法律的程序确定，在一定时间内只限一定范围的人员知悉的事项。泄露国家秘密的行为，会给国家安全和人民利益造成严重危害。商业秘密，是指不为公众所知悉、能为权利人带来经济利益、具有实用性并经权利人采取保密措施的技术信息和经营信息。泄露国家秘密或者商业秘密，是指行为人把自己掌管的或者知悉的国家秘密或者商业秘密，让不应知悉者知悉的行为。泄露的方式很多，既有口头的方式，也有书面的方式。具体泄露的方式，对构成犯罪没有影响。

审计人员滥用职权、徇私舞弊、玩忽职守或者泄露所知悉的国家秘密、商业秘密,构成犯罪的,依法追究刑事责任。构成滥用职权、玩忽职守犯罪,除客观上实施了滥用职权、玩忽职守的行为以外,最重要的就是要有致使公共财产、国家和人民利益遭受重大损失的严重后果。构成泄露国家秘密犯罪,是指行为人实施违反保守国家秘密法的规定而泄露国家秘密,而且情节严重的行为。构成侵犯商业秘密犯罪,除了实施侵犯他人商业秘密的行为,还必须有给商业秘密的权利人造成重大损失的后果。

对于审计人员滥用职权、玩忽职守,致使公共财产、国家和人民利益遭受重大损失的,处3年以下有期徒刑或者拘役;情节特别严重的,处3年以上7年以下有期徒刑。这里的情节特别严重,主要是指造成的经济损失数额特别巨大;造成特别严重的政治影响。对于审计人员徇私舞弊,犯滥用职权、玩忽职守罪的,处5年以下有期徒刑或者拘役;情节特别严重的,处5年以上10年以下有期徒刑。对于审计人员违反保守国家秘密法的规定,故意或者过失泄露国家秘密,情节严重的,处3年以下有期徒刑或者拘役;情节特别严重的,处3年以上7年以下有期徒刑。对于审计人员构成侵犯商业秘密罪的,处3年以下有期徒刑或者拘役,并处或者单处罚金;造成特别严重后果的,处3年以上7年以下有期徒刑,并处罚金。

审计人员滥用职权、徇私舞弊、玩忽职守或者泄露国家秘密、商业秘密,不构成犯罪的,根据行为人行为的情节轻重,依法给予警告、记过、记大过、降级、撤职等处分。

# 第七章　附　　则

**第五十三条　中国人民解放军审计工作的规定，由中央军事委员会根据本法制定。**

**【释义】**　本条是授权中央军委制定中国人民解放军审计工作规定的规定。

加强军队的审计监督工作，对于维护军队财经秩序，提高国防经费使用效益，促进军队革命化、现代化、正规化建设是必要的。考虑到中国人民解放军审计工作具有特殊性，涉及国家国防和军队建设，宜由中央军事委员会根据本法作出专门规定。同时，中国人民解放军审计工作是我国审计工作的组成部分，应当适用本法确定的审计监督的原则，如审计部门依法定职权和程序，对被审计单位的财政收支、财务收支的真实、合法和效益，进行审计监督；审计部门依法独立行使审计监督权，不受其他部门和个人的干涉；审计机关依据有关财政收支、财务收支的法律、法规和国家其他有关规定进行审计评价，在法定职权范围内作出审计决定；审计机关和审计人员办理审计事项，应当客观公正，实事求是，廉洁奉公，保守秘密。因此中国人民解放军审计工作的规定，应当以本法为根据制定。

中央军事委员会于 1995 年 4 月 17 日发布了《中国人民解放军审计条例》。该条例共计 7 章 46 条，根据本法对军队的审计监督工作作了专门规定。

**第五十四条　本法自 1995 年 1 月 1 日起施行。1988 年 11 月**

**30日国务院发布的《中华人民共和国审计条例》同时废止。**

**【释义】** 本条是对本法施行日期的规定。

法律的施行日期即法律的生效时间。本法自1995年1月1日起生效施行。此外,本条在确定本法施行日期的同时,还废止了1988年11月30日国务院发布的《中华人民共和国审计条例》。

按照2006年2月28日通过的全国人大常委会关于修改本法的决定的规定,本修改决定自2006年6月1日起施行,即本法经本次修改的条款,自关于修改本法的决定施行之日起生效施行。根据法不溯及既往的原则,修改决定没有溯及力,只适用于其施行以后发生的行为,施行以前发生的行为,仍适用原审计法的规定。修改决定施行后发生的行为,应当依照根据修改决定作出相应修改并重新公布后的审计法处理。

需要说明的是,修改后的法律的生效日期与修改法律的形式有关。目前修改法律主要有两种形式:一种是对法律进行修订,即对法律进行全面修改,成为一部新的法律;另一种是对法律的部分条文以修改决定的方式予以修改,未修改的部分继续有效。相对应的,修改后的法律的生效日期也有两种形式,属于修订法律的,一般是重新公布整个法律的生效日期,例如十届全国人大常委会第十八次会议修订通过的《中华人民共和国公司法》,是对公司法的全面修改,产生了一部新的公司法,因此重新公布了法律的生效日期;属于对法律作修改决定的,一般不修改法律的生效日期,例如本法,只是规定法律的修改决定的生效日期为2006年6月1日,修改部分执行修改决定的生效日期,即自2006年6月1日起施行,未修改部分,则执行原来法律规定的生效日期。

# 第二部分 附 录

## 附录一:关于修改审计法的决定及相关法律、行政法规

### 全国人民代表大会常务委员会关于修改《中华人民共和国审计法》的决定

(2006 年 2 月 28 日第十届全国人民代表大会常务委员会第二十次会议通过 2006 年 2 月 28 日中华人民共和国主席令第 48 号公布 自 2006 年 6 月 1 日起施行)

第十届全国人民代表大会常务委员会第二十次会议决定对《中华人民共和国审计法》作如下修改:

一、第一条修改为:“为了加强国家的审计监督,维护国家财政经济秩序,提高财政资金使用效益,促进廉政建设,保障国民经济和社会健康发展,根据宪法,制定本法。”

二、第三条增加一款,作为第二款:“审计机关依据有关财政收支、财务收支的法律、法规和国家其他有关规定进行审计评价,在法定职权范围内作出审计决定。”

三、第四条修改为:“国务院和县级以上地方人民政府应当每年向本级人民代表大会常务委员会提出审计机关对预算执行和其他财政收支的审计工作报告。审计工作报告应当重点报告对预算执行的审计情况。必要时,人民代表大会常务委员会可以对审计工作报告作出决议。

“国务院和县级以上地方人民政府应当将审计工作报告中指出的问题的纠正情况和处理结果向本级人民代表大会常务委员会报告。”

四、第十条修改为:“审计机关根据工作需要,经本级人民政府批准,可以在其审计管辖范围内设立派出机构。

“派出机构根据审计机关的授权,依法进行审计工作。”

五、第十五条增加一款,作为第四款:“地方各级审计机关负责人的任免,应当事先征求上一级审计机关的意见。”

六、第十六条修改为:“审计机关对本级各部门(含直属单位)和下级政府预算的执行情况和决算以及其他财政收支情况,进行审计监督。”

七、第十七条修改为:“审计署在国务院总理领导下,对中央预算执行情况和其他财政收支情况进行审计监督,向国务院总理提出审计结果报告。

“地方各级审计机关分别在省长、自治区主席、市长、州长、县长、区长和上一级审计机关的领导下,对本级预算执行情况和其他财政收支情况进行审计监督,向本级人民政府和上一级审计机关提出审计结果报告。”

八、第十九条修改为:“审计机关对国家的事业组织和使用财政资金的其他事业组织的财务收支,进行审计监督。”

九、删去第二十一条。

十、第二十二条改为第二十一条,修改为:“对国有资本占控股地位或者主导地位的企业、金融机构的审计监督,由国务院规定。”

十一、第二十三条改为第二十二条,修改为:“审计机关对政府投资和以政府投资为主的建设项目的预算执行情况和决算,进行审计监督。”

十二、第二十四条改为第二十三条,修改为:“审计机关对政府部门管理的和其他单位受政府委托管理的社会保障基金、社会捐赠资金以及其他有关基金、资金的财务收支,进行审计监督。”

十三、增加一条,作为第二十五条:“审计机关按照国家有关规定,对国家机关和依法属于审计机关审计监督对象的其他单位的主要负责人,在任职期间对本地区、本部门或者本单位的财政收支、财务收支以及有关经济活动应负经济责任的履行情况,进行审计监督。”

十四、第二十九条修改为:“依法属于审计机关审计监督对象的单位,应当按照国家有关规定建立健全内部审计制度;其内部审计工作应当接受审计机关的业务指导和监督。”

十五、第三十条修改为:“社会审计机构审计的单位依法属于审计机关审计监督对象的,审计机关按照国务院的规定,有权对该社会审计机构出具的相关审计报告进行核查。”

十六、第三十一条修改为:“审计机关有权要求被审计单位按照审计机关的规定提供预算或者财务收支计划、预算执行情况、决算、财务会计报告,运用电子计算机储存、处理的财政收支、财务收支电子数据和必要的电子计算机技术文档,在金融机构开立账户的情况,社会审计机构出具的审计报告,以及其他与财政收支或者财务收支有关的资料,被审计单位不得拒绝、拖延、谎报。

“被审计单位负责人对本单位提供的财务会计资料的真实性和完整性负责。”

十七、第三十二条修改为:“审计机关进行审计时,有权检查被审计单位的会计凭证、会计账簿、财务会计报告和运用电子计算机管理财政收支、财务收支电子数据的系统,以及其他与财政收支、财务收支有关的资料和资产,被审计单位不得拒绝。”

十八、第三十三条增加一款,作为第二款:“审计机关经县级以上人民政府审计机关负责人批准，有权查询被审计单位在金融机构的账户。”

增加一款，作为第三款：“审计机关有证据证明被审计单位以个人名义存储公款的，经县级以上人民政府审计机关主要负责人批准，有权查询被审计单位以个人名义在金融机构的存款。”

十九、第三十四条第一款修改为：“审计机关进行审计时，被审计单位不得转移、隐匿、篡改、毁弃会计凭证、会计账簿、财务会计报告以及其他与财政收支或者财务收支有关的资料，不得转移、隐匿所持有的违反国家规定取得的资产。”

增加一款，作为第二款：“审计机关对被审计单位违反前款规定的行为，有权予以制止；必要时，经县级以上人民政府审计机关负责人批准，有权封存有关资料和违反国家规定取得的资产；对其中在金融机构的有关存款需要予以冻结的，应当向人民法院提出申请。”

第二款改为两款，作为第三款、第四款，修改为：“审计机关对被审计单位正在进行的违反国家规定的财政收支、财务收支行为，有权予以制止；制止无效的，经县级以上人民政府审计机关负责人批准，通知财政部门和有关主管部门暂停拨付与违反国家规定的财政收支、财务收支行为直接有关的款项，已经拨付的，暂停使用。

“审计机关采取前两款规定的措施不得影响被审计单位合法的业务活动和生产经营活动。”

二十、增加一条，作为第三十七条：“审计机关履行审计监督职责，可以提请公安、监察、财政、税务、海关、价格、工商行政管理等机关予以协助。”

二十一、第三十七条改为第三十八条，第一款修改为：“审计机关根据审计项目计划确定的审计事项组成审计组，并应当在实施审计三日前，向被审计单位送达审计通知书；遇有特殊情况，经本级人民政府批准，审计机关可以直接持审计通知书实施审计。”

增加一款，作为第三款：“审计机关应当提高审计工作效率。”

二十二、第三十八条改为第三十九条，第一款修改为：“审计人员通过审查会计凭证、会计账簿、财务会计报告，查阅与审计事项有关的文件、资料，检查现金、实物、有价证券，向有关单位和个人调查等方式进行审计，并取得证明材料。”

二十三、第三十九条改为第四十条，修改为：“审计组对审计事项实施审计后，应当向审计机关提出审计组的审计报告。审计组的审计报告报送审计机关前，应当征求被审计对象的意见。被审计对象应当自接到审计组的审计报告之日起十日内，将其书面意见送交审计组。审计组应当将被审计对象的书面意见一并报送审计机关。”

二十四、第四十条改为第四十一条，修改为：“审计机关按照审计署规定的程序对审计组的审计报告进行审议，并对被审计对象对审计组的审计报告提出的意见一并研究后，提出审计机关的审计报告；对违反国家规定的财政收支、财务收支行为，依法应当给予处理、处罚的，在法定职权范围内作出审计决定或者向有关主管机关提出处理、处罚的意见。

“审计机关应当将审计机关的审计报告和审计决定送达被审计单位和有关主管机关、单位。审计决定自送达之日起生效。”

二十五、增加一条，作为第四十二条：“上级审计机关认为下级审计机关作出的审计决定违反国家有关规定的，可以责成下级审计机关予以变更或者撤销，必要时也可以直接作出变更或者撤销的决定。”

二十六、第四十一条改为第四十三条，修改为：“被审计单位违反本法规定，拒绝或者拖延提供与审计事项有关的资料的，或者提供的资料不真实、不完整的，或者拒绝、阻碍检查的，由审计机关责令改正，可以通报批评，给予警告；拒不改正的，依法追究责任。”

二十七、第四十二条、第四十三条合并为一条，作为第四十四条，修改为：“被审计单位违反本法规定，转移、隐匿、篡改、毁弃会计凭证、会计账簿、财务会计报告以及其他与财政收支、财务收支有关的资料，或者转移、隐匿所持有的违反国家规定取得的资产，审计机关认为对直接负责的主管人员和其他直接责任人员依法应当给予处分的，应当提出给予处分的建议，被审计单位或者其上级机关、监察机关应当依法及时作出决定，并将结果书面通知审计机关；构成犯罪的，依法追究刑事责任。”

二十八、第四十四条改为第四十五条，修改为：“对本级各部门（含直属单位）和下级政府违反预算的行为或者其他违反国家规定的财政收支行为，审计机关、人民政府或者有关主管部门在法定职权范围内，依照法律、行政法规的规定，区别情况采取下列处理措施：

“（一）责令限期缴纳应当上缴的款项；

“（二）责令限期退还被侵占的国有资产；

“（三）责令限期退还违法所得；

“（四）责令按照国家统一的会计制度的有关规定进行处理；

“（五）其他处理措施。”

二十九、第四十五条改为第四十六条，修改为：“对被审计单位违反国家规定的财务收支行为，审计机关、人民政府或者有关主管部门在法定职权范围内，依照法律、行政法规的规定，区别情况采取前条规定的处理措施，并可以依法给予处罚。”

三十、增加一条，作为第四十七条：“审计机关在法定职权范围内作出的审计决定，被审计单位应当执行。

“审计机关依法责令被审计单位上缴应当上缴的款项，被审计单位拒不执行的，审计机关应当通报有关主管部门，有关主管部门应当依照有关法律、行政法规的规定予以扣缴或者采取其他处理措施，并将结果书面通知审计机关。”

三十一、增加一条，作为第四十八条：“被审计单位对审计机关作出的有关财务收支的审计决定不服的，可以依法申请行政复议或者提起行政诉讼。

“被审计单位对审计机关作出的有关财政收支的审计决定不服的，可以提请审计机关的本级人民政府裁决，本级人民政府的裁决为最终决定。”

三十二、第四十六条改为第四十九条，修改为：“被审计单位的财政收支、财务收支违反国家规定，审计机关认为对直接负责的主管人员和其他直接责任人员依法应当给予处分的，应当提出给予处分的建议，被审计单位或者其上级机关、监察机关应当依法及时作出决定，并将结果书面通知审计机关。”

三十三、第四十八条改为第五十一条，修改为：“报复陷害审计人员的，依法给予处分；构成犯罪的，依法追究刑事责任。”

三十四、第四十九条改为第五十二条，修改为：“审计人员滥用职权、徇私舞弊、玩忽职守或者泄露所知悉的国家秘密、商业秘密的，依法给予处分；构成犯罪的，依法追究刑事责任。”

本决定自2006年6月1日起施行。

《中华人民共和国审计法》根据本决定作相应修改并对条款顺序作相应调整，重新公布。

# 中华人民共和国审计法

（1994年8月31日第八届全国人民代表大会常务委员会第九次会议通过　根据2006年2月28日第十届全国人民代表大会常务委员会第二十次会议《关于修改〈中华人民共和国审计法〉的决定》修正）

## 目　　录



## 第一章　总　　则

**第一条**　为了加强国家的审计监督，维护国家财政经济秩序，提高财政资金使用效益，促进廉政建设，保障国民经济和社会健康发展，根据宪法，制定本法。

**第二条** 国家实行审计监督制度。国务院和县级以上地方人民政府设立审计机关。

国务院各部门和地方各级人民政府及其各部门的财政收支，国有的金融机构和企业事业组织的财务收支，以及其他依照本法规定应当接受审计的财政收支、财务收支，依照本法规定接受审计监督。

审计机关对前款所列财政收支或者财务收支的真实、合法和效益,依法进行审计监督。

**第三条** 审计机关依照法律规定的职权和程序,进行审计监督。

审计机关依据有关财政收支、财务收支的法律、法规和国家其他有关规定进行审计评价,在法定职权范围内作出审计决定。

**第四条** 国务院和县级以上地方人民政府应当每年向本级人民代表大会常务委员会提出审计机关对预算执行和其他财政收支的审计工作报告。审计工作报告应当重点报告对预算执行的审计情况。必要时,人民代表大会常务委员会可以对审计工作报告作出决议。

国务院和县级以上地方人民政府应当将审计工作报告中指出的问题的纠正情况和处理结果向本级人民代表大会常务委员会报告。

**第五条** 审计机关依照法律规定独立行使审计监督权,不受其他行政机关、社会团体和个人的干涉。

**第六条** 审计机关和审计人员办理审计事项,应当客观公正,实事求是,廉洁奉公,保守秘密。

## 第二章　审计机关和审计人员

**第七条** 国务院设立审计署,在国务院总理领导下,主管全国的审计工作。审计长是审计署的行政首长。

**第八条** 省、自治区、直辖市、设区的市、自治州、县、自治县、不设区的市、市辖区的人民政府的审计机关,分别在省长、自治区主席、市长、州长、县长、区长和上一级审计机关的领导下,负责本行政区域内的审计工作。

**第九条** 地方各级审计机关对本级人民政府和上一级审计机关负责并报告工作，审计业务以上级审计机关领导为主。

**第十条** 审计机关根据工作需要，经本级人民政府批准，可以在其审计管辖范围内设立派出机构。

派出机构根据审计机关的授权，依法进行审计工作。

**第十一条** 审计机关履行职责所必需的经费，应当列入财政预算，由本级人民政府予以保证。

**第十二条** 审计人员应当具备与其从事的审计工作相适应的专业知识和业务能力。

**第十三条** 审计人员办理审计事项，与被审计单位或者审计事项有利害关系的，应当回避。

**第十四条** 审计人员对其在执行职务中知悉的国家秘密和被审计单位的商业秘密，负有保密的义务。

**第十五条** 审计人员依法执行职务，受法律保护。

任何组织和个人不得拒绝、阻碍审计人员依法执行职务，不得打击报复审计人员。

审计机关负责人依照法定程序任免。审计机关负责人没有违法失职或者其他不符合任职条件的情况的，不得随意撤换。

地方各级审计机关负责人的任免，应当事先征求上一级审计机关的意见。

## 第三章 审计机关职责

**第十六条** 审计机关对本级各部门（含直属单位）和下级政府预算的执行情况和决算以及其他财政收支情况，进行审计监督。

**第十七条** 审计署在国务院总理领导下，对中央预算执行情况和其他财政收支情况进行审计监督，向国务院总理提出审计结果报告。

地方各级审计机关分别在省长、自治区主席、市长、州长、县长、区长和上一级审计机关的领导下，对本级预算执行情况和其他财政收支情况进行审计监督，向本级人民政府和上一级审计机关提出审计结果报告。

**第十八条** 审计署对中央银行的财务收支，进行审计监督。

审计机关对国有金融机构的资产、负债、损益，进行审计监督。

**第十九条** 审计机关对国家的事业组织和使用财政资金的其他事业组织的财务收支，进行审计监督。

**第二十条** 审计机关对国有企业的资产、负债、损益，进行审计监督。

**第二十一条** 对国有资本占控股地位或者主导地位的企业、金融机构的审计监督，由国务院规定。

**第二十二条** 审计机关对政府投资和以政府投资为主的建设项目的预算执行情况和决算，进行审计监督。

**第二十三条** 审计机关对政府部门管理的和其他单位受政府委托管理的社会保障基金、社会捐赠资金以及其他有关基金、资金的财务收支，进行审计监督。

**第二十四条** 审计机关对国际组织和外国政府援助、贷款项目的财务收支，进行审计监督。

**第二十五条** 审计机关按照国家有关规定，对国家机关和依法属于审计机关审计监督对象的其他单位的主要负责人，在任职期间对本地区、本部门或者本单位的财政收支、财务收支以及有关经济活动应负经济责任的履行情况，进行审计监督。

**第二十六条** 除本法规定的审计事项外，审计机关对其他法律、行政法规规定应当由审计机关进行审计的事项，依照本法和有关法律、行政法规的规定进行审计监督。

**第二十七条** 审计机关有权对与国家财政收支有关的特定事项，向有关地方、部门、单位进行专项审计调查，并向本级人民政府和上一级审计机关报告审计调查结果。

**第二十八条** 审计机关根据被审计单位的财政、财务隶属关系或者国有资产监督管理关系，确定审计管辖范围。

审计机关之间对审计管辖范围有争议的，由其共同的上级审计机关确定。

上级审计机关可以将其审计管辖范围内的本法第十八条第二款至第二十五条规定的审计事项，授权下级审计机关进行审计；上级审计机关对下级审计机关审计管辖范围内的重大审计事项，可以直接进行审计，但是应当防止不必要的重复审计。

**第二十九条** 依法属于审计机关审计监督对象的单位，应当按照国家有关规定建立健全内部审计制度；其内部审计工作应当接受审计机关的业务指导和监督。

**第三十条** 社会审计机构审计的单位依法属于审计机关审计监督对象的，审计机关按照国务院的规定，有权对该社会审计机构出具的相关审计报告进行核查。

## 第四章 审计机关权限

**第三十一条** 审计机关有权要求被审计单位按照审计机关的规定提供预算或者财务收支计划、预算执行情况、决算、财务会计报告，运用电子计算机储存、处理的财政收支、财务收支电子数据和必要的电子计算机技术文档，在金融机构开立账户的情况，社会审计机构出具的审计报告，以及其他与财政收支或者财务收支有关的资料，被审计单位不得拒绝、拖延、谎报。

被审计单位负责人对本单位提供的财务会计资料的真实性和完整性负责。

**第三十二条** 审计机关进行审计时，有权检查被审计单位的会计凭证、会计账簿、财务会计报告和运用电子计算机管理财政收支、财务收支电子数据的系统，以及其他与财政收支、财务收支有关的资料和资产，被审计单位不得拒绝。

**第三十三条** 审计机关进行审计时,有权就审计事项的有关问题向有关单位和个人进行调查,并取得有关证明材料。有关单位和个人应当支持、协助审计机关工作,如实向审计机关反映情况,提供有关证明材料。

审计机关经县级以上人民政府审计机关负责人批准,有权查询被审计单位在金融机构的账户。

审计机关有证据证明被审计单位以个人名义存储公款的,经县级以上人民政府审计机关主要负责人批准,有权查询被审计单位以个人名义在金融机构的存款。

**第三十四条** 审计机关进行审计时,被审计单位不得转移、隐匿、篡改、毁弃会计凭证、会计账簿、财务会计报告以及其他与财政收支或者财务收支有关的资料,不得转移、隐匿所持有的违反国家规定取得的资产。

审计机关对被审计单位违反前款规定的行为,有权予以制止;必要时,经县级以上人民政府审计机关负责人批准,有权封存有关资料和违反国家规定取得的资产;对其中在金融机构的有关存款需要予以冻结的,应当向人民法院提出申请。

审计机关对被审计单位正在进行的违反国家规定的财政收支、财务收支行为,有权予以制止;制止无效的,经县级以上人民政府审计机关负责人批准,通知财政部门和有关主管部门暂停拨付与违反国家规定的财政收支、财务收支行为直接有关的款项,已经拨付的,暂停使用。

审计机关采取前两款规定的措施不得影响被审计单位合法的业务活动和生产经营活动。

**第三十五条** 审计机关认为被审计单位所执行的上级主管部门有关财政收支、财务收支的规定与法律、行政法规相抵触的,应当建议有关主管部门纠正;有关主管部门不予纠正的,审计机关应当提请有权处理的机关依法处理。

**第三十六条** 审计机关可以向政府有关部门通报或者向社会公

布审计结果。

审计机关通报或者公布审计结果,应当依法保守国家秘密和被审计单位的商业秘密,遵守国务院的有关规定。

**第三十七条** 审计机关履行审计监督职责,可以提请公安、监察、财政、税务、海关、价格、工商行政管理等机关予以协助。

## 第五章 审 计 程 序

**第三十八条** 审计机关根据审计项目计划确定的审计事项组成审计组,并应当在实施审计三日前,向被审计单位送达审计通知书;遇有特殊情况,经本级人民政府批准,审计机关可以直接持审计通知书实施审计。

被审计单位应当配合审计机关的工作,并提供必要的工作条件。

审计机关应当提高审计工作效率。

**第三十九条** 审计人员通过审查会计凭证、会计账簿、财务会计报告,查阅与审计事项有关的文件、资料,检查现金、实物、有价证券,向有关单位和个人调查等方式进行审计,并取得证明材料。

审计人员向有关单位和个人进行调查时,应当出示审计人员的工作证件和审计通知书副本。

**第四十条** 审计组对审计事项实施审计后,应当向审计机关提出审计组的审计报告。审计组的审计报告报送审计机关前,应当征求被审计对象的意见。被审计对象应当自接到审计组的审计报告之日起十日内,将其书面意见送交审计组。审计组应当将被审计对象的书面意见一并报送审计机关。

**第四十一条** 审计机关按照审计署规定的程序对审计组的审计报告进行审议,并对被审计对象提出的意见一并研究后,提出审计机关的审计报告;对违反国家规定的财政收支、财务收支行为,依法应当给予处理、处罚的,在法定职权范围内作出审计决定或者向有关主管机关提出处理、处罚的意见。

审计机关应当将审计机关的审计报告和审计决定送达被审计单位和有关主管机关、单位。审计决定自送达之日起生效。

**第四十二条**　上级审计机关认为下级审计机关作出的审计决定违反国家有关规定的，可以责成下级审计机关予以变更或者撤销，必要时也可以直接作出变更或者撤销的决定。

## 第六章　法 律 责 任

**第四十三条**　被审计单位违反本法规定，拒绝或者拖延提供与审计事项有关的资料的，或者提供的资料不真实、不完整的，或者拒绝、阻碍检查的，由审计机关责令改正，可以通报批评，给予警告；拒不改正的，依法追究责任。

**第四十四条**　被审计单位违反本法规定，转移、隐匿、篡改、毁弃会计凭证、会计账簿、财务会计报告以及其他与财政收支、财务收支有关的资料，或者转移、隐匿所持有的违反国家规定取得的资产，审计机关认为对直接负责的主管人员和其他直接责任人员依法应当给予处分的，应当提出给予处分的建议，被审计单位或者其上级机关、监察机关应当依法及时作出决定，并将结果书面通知审计机关；构成犯罪的，依法追究刑事责任。

**第四十五条**　对本级各部门（含直属单位）和下级政府违反预算的行为或者其他违反国家规定的财政收支行为，审计机关、人民政府或者有关主管部门在法定职权范围内，依照法律、行政法规的规定，区别情况采取下列处理措施：

（一）责令限期缴纳应当上缴的款项；

（二）责令限期退还被侵占的国有资产；

（三）责令限期退还违法所得；

（四）责令按照国家统一的会计制度的有关规定进行处理；

（五）其他处理措施。

**第四十六条**　对被审计单位违反国家规定的财务收支行为，审计机关、人民政府或者有关主管部门在法定职权范围内,依照法律、行政法规的规定,区别情况采取前条规定的处理措施,并可以依法给予处罚。

**第四十七条** 审计机关在法定职权范围内作出的审计决定,被审计单位应当执行。

审计机关依法责令被审计单位上缴应当上缴的款项,被审计单位拒不执行的,审计机关应当通报有关主管部门,有关主管部门应当依照有关法律、行政法规的规定予以扣缴或者采取其他处理措施,并将结果书面通知审计机关。

**第四十八条** 被审计单位对审计机关作出的有关财务收支的审计决定不服的,可以依法申请行政复议或者提起行政诉讼。

被审计单位对审计机关作出的有关财政收支的审计决定不服的,可以提请审计机关的本级人民政府裁决,本级人民政府的裁决为最终决定。

**第四十九条** 被审计单位的财政收支、财务收支违反国家规定,审计机关认为对直接负责的主管人员和其他直接责任人员依法应当给予处分的,应当提出给予处分的建议,被审计单位或者其上级机关、监察机关应当依法及时作出决定,并将结果书面通知审计机关。

**第五十条** 被审计单位的财政收支、财务收支违反法律、行政法规的规定,构成犯罪的,依法追究刑事责任。

**第五十一条** 报复陷害审计人员的,依法给予处分;构成犯罪的,依法追究刑事责任。

**第五十二条** 审计人员滥用职权、徇私舞弊、玩忽职守或者泄露所知悉的国家秘密、商业秘密的,依法给予处分;构成犯罪的,依法追究刑事责任。

## 第七章 附　　则

**第五十三条** 中国人民解放军审计工作的规定,由中央军事委员会根据本法制定。

**第五十四条**　本法自 1995 年 1 月 1 日起施行。1988 年 11 月 30 日国务院发布的《中华人民共和国审计条例》同时废止。

# 中华人民共和国预算法

（1994 年 3 月 22 日第八届全国人民代表大会第二次会议通过
1994 年 3 月 22 日中华人民共和国主席令第二十一号公布）

## 目　　录



## 第一章　总　　则

**第一条**　为了强化预算的分配和监督职能，健全国家对预算的管理，加强国家宏观调控，保障经济和社会的健康发展，根据宪法，制定本法。

**第二条** 国家实行一级政府一级预算,设立中央,省、自治区、直辖市、设区的市、自治州,县、自治县、不设区的市、市辖区,乡、民族乡、镇五级预算。

不具备设立预算条件的乡、民族乡、镇,经省、自治区、直辖市政府确定,可以暂不设立预算。

**第三条** 各级预算应当做到收支平衡。

**第四条** 中央政府预算(以下简称中央预算)由中央各部门(含直属单位,下同)的预算组成。

中央预算包括地方向中央上解的收入数额和中央对地方返还或者给予补助的数额。

**第五条** 地方预算由各省、自治区、直辖市总预算组成。

地方各级总预算由本级政府预算(以下简称本级预算)和汇总的下一级总预算组成;下一级只有本级预算的,下一级总预算即指下一级的本级预算。没有下一级预算的,总预算即指本级预算。

地方各级政府预算由本级各部门(含直属单位,下同)的预算组成。

地方各级政府预算包括下级政府向上级政府上解的收入数额和上级政府对下级政府返还或者给予补助的数额。

**第六条** 各部门预算由本部门所属各单位预算组成。

**第七条** 单位预算是指列入部门预算的国家机关、社会团体和其他单位的收支预算。

**第八条** 国家实行中央和地方分税制。

**第九条** 经本级人民代表大会批准的预算,非经法定程序,不得改变。

**第十条** 预算年度自公历1月1日起,至12月31日止。

**第十一条** 预算收入和预算支出以人民币元为计算单位。

## 第二章 预算管理职权

**第十二条** 全国人民代表大会审查中央和地方预算草案及中央和地方预算执行情况的报告;批准中央预算和中央预算执行情况的报告;改变或者撤销全国人民代表大会常务委员会关于预算、决算的不适当的决议。

全国人民代表大会常务委员会监督中央和地方预算的执行;审查和批准中央预算的调整方案;审查和批准中央决算;撤销国务院制定的同宪法、法律相抵触的关于预算、决算的行政法规、决定和命令;撤销省、自治区、直辖市人民代表大会及其常务委员会制定的同宪法、法律和行政法规相抵触的关于预算、决算的地方性法规和决议。

**第十三条** 县级以上地方各级人民代表大会审查本级总预算草案及本级总预算执行情况的报告;批准本级预算和本级预算执行情况的报告;改变或者撤销本级人民代表大会常务委员会关于预算、决算的不适当的决议;撤销本级政府关于预算、决算的不适当的决定和命令。

县级以上地方各级人民代表大会常务委员会监督本级总预算的执行;审查和批准本级预算的调整方案;审查和批准本级政府决算(以下简称本级决算);撤销本级政府和下一级人民代表大会及其常务委员会关于预算、决算的不适当的决定、命令和决议。

设立预算的乡、民族乡、镇的人民代表大会审查和批准本级预算和本级预算执行情况的报告;监督本级预算的执行;审查和批准本级预算的调整方案;审查和批准本级决算;撤销本级政府关于预算、决算的不适当的决定和命令。

**第十四条** 国务院编制中央预算、决算草案;向全国人民代表大会作关于中央和地方预算草案的报告;将省、自治区、直辖市政府报送备案的预算汇总后报全国人民代表大会常务委员会备案;组织中央和地方预算的执行;决定中央预算预备费的动用;编制中央预算调整方案；监督中央各部门和地方政府的预算执行；改变或者撤销中央各部门和地方政府关于预算、决算的不适当的决定、命令；向全国人民代表大会、全国人民代表大会常务委员会报告中央和地方预算的执行情况。

**第十五条**　县级以上地方各级政府编制本级预算、决算草案；向本级人民代表大会作关于本级总预算草案的报告；将下一级政府报送备案的预算汇总后报本级人民代表大会常务委员会备案；组织本级总预算的执行；决定本级预算预备费的动用；编制本级预算的调整方案；监督本级各部门和下级政府的预算执行；改变或者撤销本级各部门和下级政府关于预算、决算的不适当的决定、命令；向本级人民代表大会、本级人民代表大会常务委员会报告本级总预算的执行情况。

乡、民族乡、镇政府编制本级预算、决算草案；向本级人民代表大会作关于本级预算草案的报告；组织本级预算的执行；决定本级预算预备费的动用；编制本级预算的调整方案；向本级人民代表大会报告本级预算的执行情况。

**第十六条**　国务院财政部门具体编制中央预算、决算草案；具体组织中央和地方预算的执行；提出中央预算预备费动用方案；具体编制中央预算的调整方案；定期向国务院报告中央和地方预算的执行情况。

地方各级政府财政部门具体编制本级预算、决算草案；具体组织本级总预算的执行；提出本级预算预备费动用方案；具体编制本级预算的调整方案；定期向本级政府和上一级政府财政部门报告本级总预算的执行情况。

**第十七条**　各部门编制本部门预算、决算草案；组织和监督本部门预算的执行；定期向本级政府财政部门报告预算的执行情况。

**第十八条**　各单位编制本单位预算、决算草案；按照国家规定上缴预算收入，安排预算支出，并接受国家有关部门的监督。

## 第三章 预算收支范围

**第十九条** 预算由预算收入和预算支出组成。

预算收入包括：

（一）税收收入；

（二）依照规定应当上缴的国有资产收益；

（三）专项收入；

（四）其他收入。

预算支出包括：

（一）经济建设支出；

（二）教育、科学、文化、卫生、体育等事业发展支出；

（三）国家管理费用支出；

（四）国防支出；

（五）各项补贴支出；

（六）其他支出。

**第二十条** 预算收入划分为中央预算收入、地方预算收入、中央和地方预算共享收入。

预算支出划分为中央预算支出和地方预算支出。

**第二十一条** 中央预算与地方预算有关收入和支出项目的划分、地方向中央上解收入、中央对地方返还或者给予补助的具体办法，由国务院规定，报全国人民代表大会常务委员会备案。

**第二十二条** 预算收入应当统筹安排使用；确需设立专用基金项目的，须经国务院批准。

**第二十三条** 上级政府不得在预算之外调用下级政府预算的资金。下级政府不得挤占或者截留属于上级政府预算的资金。

## 第四章 预 算 编 制

**第二十四条** 各级政府、各部门、各单位应当按照国务院规定的时间编制预算草案。

**第二十五条**　中央预算和地方各级政府预算,应当参考上一年预算执行情况和本年度收支预测进行编制。

**第二十六条**　中央预算和地方各级政府预算按照复式预算编制。

复式预算的编制办法和实施步骤,由国务院制定。

**第二十七条**　中央政府公共预算不列赤字。

中央预算中必需的建设投资的部分资金,可以通过举借国内和国外债务等方式筹措,但是借债应当有合理的规模和结构。

中央预算中对已经举借的债务还本付息所需的资金,依照前款规定办理。

**第二十八条**　地方各级预算按照量入为出、收支平衡的原则编制,不列赤字。

除法律和国务院另有规定外,地方政府不得发行地方政府债券。

**第二十九条**　各级预算收入的编制,应当与国民生产总值的增长率相适应。

按照规定必须列入预算的收入,不得隐瞒、少列,也不得将上年的非正常收入作为编制预算收入的依据。

**第三十条**　各级预算支出的编制,应当贯彻厉行节约、勤俭建国的方针。

各级预算支出的编制,应当统筹兼顾、确保重点,在保证政府公共支出合理需要的前提下,妥善安排其他各类预算支出。

**第三十一条**　中央预算和有关地方政府预算中安排必要的资金,用于扶助经济不发达的民族自治地方、革命老根据地、边远、贫困地区发展经济文化建设事业。

**第三十二条**　各级政府预算应当按照本级政府预算支出额的百分之一至百分之三设置预备费,用于当年预算执行中的自然灾害救灾开支及其他难以预见的特殊开支。

**第三十三条**　各级政府预算应当按照国务院的规定设置预算周

转金。

**第三十四条** 各级政府预算的上年结余,可以在下年用于上年结转项目的支出;有余额的,可以补充预算周转金;再有余额的,可以用于下年必需的预算支出。

**第三十五条** 国务院应当及时下达关于编制下一年预算草案的指示。

编制预算草案的具体事项,由国务院财政部门部署。

**第三十六条** 省、自治区、直辖市政府应当按照国务院规定的时间,将本级总预算草案报国务院审核汇总。

**第三十七条** 国务院财政部门应当在每年全国人民代表大会会议举行的一个月前,将中央预算草案的主要内容提交全国人民代表大会财政经济委员会进行初步审查。

省、自治区、直辖市、设区的市、自治州政府财政部门应当在本级人民代表大会会议举行的一个月前,将本级预算草案的主要内容提交本级人民代表大会有关的专门委员会或者根据本级人民代表大会常务委员会主任会议的决定提交本级人民代表大会常务委员会有关的工作委员会进行初步审查。

县、自治县、不设区的市、市辖区政府财政部门应当在本级人民代表大会会议举行的一个月前,将本级预算草案的主要内容提交本级人民代表大会常务委员会进行初步审查。

## 第五章 预算审查和批准

**第三十八条** 国务院在全国人民代表大会举行会议时,向大会作关于中央和地方预算草案的报告。

地方各级政府在本级人民代表大会举行会议时,向大会作关于本级总预算草案的报告。

**第三十九条** 中央预算由全国人民代表大会审查和批准。

地方各级政府预算由本级人民代表大会审查和批准。

**第四十条**　乡、民族乡、镇政府应当及时将经本级人民代表大会批准的本级预算报上一级政府备案。县级以上地方各级政府应当及时将经本级人民代表大会批准的本级预算及下一级政府报送备案的预算汇总，报上一级政府备案。

县级以上地方各级政府将下一级政府依照前款规定报送备案的预算汇总后，报本级人民代表大会常务委员会备案。国务院将省、自治区、直辖市政府依照前款规定报送备案的预算汇总后，报全国人民代表大会常务委员会备案。

**第四十一条**　国务院和县级以上地方各级政府对下一级政府依照本法第四十条规定报送备案的预算，认为有同法律、行政法规相抵触或者有其他不适当之处，需要撤销批准预算的决议的，应当提请本级人民代表大会常务委员会审议决定。

**第四十二条**　各级政府预算经本级人民代表大会批准后，本级政府财政部门应当及时向本级各部门批复预算。各部门应当及时向所属各单位批复预算。

## 第六章　预 算 执 行

**第四十三条**　各级预算由本级政府组织执行，具体工作由本级政府财政部门负责。

**第四十四条**　预算年度开始后，各级政府预算草案在本级人民代表大会批准前，本级政府可以先按照上一年同期的预算支出数额安排支出；预算经本级人民代表大会批准后，按照批准的预算执行。

**第四十五条**　预算收入征收部门，必须依照法律、行政法规的规定，及时、足额征收应征的预算收入。不得违反法律、行政法规规定，擅自减征、免征或者缓征应征的预算收入，不得截留、占用或者挪用预算收入。

**第四十六条**　有预算收入上缴任务的部门和单位，必须依照法律、行政法规和国务院财政部门的规定，将应当上缴的预算资金及时、足额地上缴国家金库(以下简称国库),不得截留、占用、挪用或者拖欠。

**第四十七条** 各级政府财政部门必须依照法律、行政法规和国务院财政部门的规定,及时、足额地拨付预算支出资金,加强对预算支出的管理和监督。

各级政府、各部门、各单位的支出必须按照预算执行。

**第四十八条** 县级以上各级预算必须设立国库;具备条件的乡、民族乡、镇也应当设立国库。

中央国库业务由中国人民银行经理,地方国库业务依照国务院的有关规定办理。

各级国库必须按照国家有关规定,及时准确地办理预算收入的收纳、划分、留解和预算支出的拨付。

各级国库库款的支配权属于本级政府财政部门。除法律、行政法规另有规定外,未经本级政府财政部门同意,任何部门、单位和个人都无权动用国库库款或者以其他方式支配已入国库的库款。

各级政府应当加强对本级国库的管理和监督。

**第四十九条** 各级政府应当加强对预算执行的领导,支持政府财政、税务、海关等预算收入的征收部门依法组织预算收入,支持政府财政部门严格管理预算支出。

财政、税务、海关等部门在预算执行中,应当加强对预算执行的分析;发现问题时应当及时建议本级政府采取措施予以解决。

**第五十条** 各部门、各单位应当加强对预算收入和支出的管理,不得截留或者动用应当上缴的预算收入,也不得将不应当在预算内支出的款项转为预算内支出。

**第五十一条** 各级政府预算预备费的动用方案,由本级政府财政部门提出,报本级政府决定。

**第五十二条** 各级政府预算周转金由本级政府财政部门管理,用于预算执行中的资金周转,不得挪作他用。

## 第七章　预 算 调 整

**第五十三条**　预算调整是指经全国人民代表大会批准的中央预算和经地方各级人民代表大会批准的本级预算，在执行中因特殊情况需要增加支出或者减少收入，使原批准的收支平衡的预算的总支出超过总收入，或者使原批准的预算中举借债务的数额增加的部分变更。

**第五十四条**　各级政府对于必须进行的预算调整，应当编制预算调整方案。中央预算的调整方案必须提请全国人民代表大会常务委员会审查和批准。县级以上地方各级政府预算的调整方案必须提请本级人民代表大会常务委员会审查和批准；乡、民族乡、镇政府预算的调整方案必须提请本级人民代表大会审查和批准。未经批准，不得调整预算。

**第五十五条**　未经批准调整预算，各级政府不得作出任何使原批准的收支平衡的预算的总支出超过总收入或者使原批准的预算中举借债务的数额增加的决定。

对违反前款规定作出的决定，本级人民代表大会、本级人民代表大会常务委员会或者上级政府应当责令其改变或者撤销。

**第五十六条**　在预算执行中，因上级政府返还或者给予补助而引起的预算收支变化，不属于预算调整。接受返还或者补助款项的县级以上地方各级政府应当向本级人民代表大会常务委员会报告有关情况；接受返还或者补助款项的乡、民族乡、镇政府应当向本级人民代表大会报告有关情况。

**第五十七条**　各部门、各单位的预算支出应当按照预算科目执行。不同预算科目间的预算资金需要调剂使用的，必须按照国务院财政部门的规定报经批准。

**第五十八条**　地方各级政府预算的调整方案经批准后，由本级政府报上一级政府备案。

# 第八章 决　　算

**第五十九条**　决算草案由各级政府、各部门、各单位，在每一预算年度终了后按照国务院规定的时间编制。

编制决算草案的具体事项，由国务院财政部门部署。

**第六十条**　编制决算草案，必须符合法律、行政法规，做到收支数额准确、内容完整、报送及时。

**第六十一条**　各部门对所属各单位的决算草案，应当审核并汇总编制本部门的决算草案，在规定的期限内报本级政府财政部门审核。

各级政府财政部门对本级各部门决算草案审核后发现有不符合法律、行政法规规定的，有权予以纠正。

**第六十二条**　国务院财政部门编制中央决算草案，报国务院审定后，由国务院提请全国人民代表大会常务委员会审查和批准。

县级以上地方各级政府财政部门编制本级决算草案，报本级政府审查后，由本级政府提请本级人民代表大会常务委员会审查和批准。

乡、民族乡、镇政府编制本级决算草案，提请本级人民代表大会审查和批准。

**第六十三条**　各级政府决算经批准后，财政部门应当向本级各部门批复决算。

**第六十四条**　地方各级政府应当将经批准的决算，报上一级政府备案。

**第六十五条**　国务院和县级以上地方各级政府对下一级政府依照本法第六十四条规定报送备案的决算，认为有同法律、行政法规相抵触或者有其他不适当之处，需要撤销批准该项决算的决议的，应当提请本级人民代表大会常务委员会审议决定；经审议决定撤销的，该下级人民代表大会常务委员会应当责成本级政府依照本法规定重新编制决算草案，提请本级人民代表大会常务委员会审查和批准。

## 第九章 监 督

**第六十六条** 全国人民代表大会及其常务委员会对中央和地方预算、决算进行监督。

县级以上地方各级人民代表大会及其常务委员会对本级和下级政府预算、决算进行监督。

乡、民族乡、镇人民代表大会对本级预算、决算进行监督。

**第六十七条** 各级人民代表大会和县级以上各级人民代表大会常务委员会有权就预算、决算中的重大事项或者特定问题组织调查，有关的政府、部门、单位和个人应当如实反映情况和提供必要的材料。

**第六十八条** 各级人民代表大会和县级以上各级人民代表大会常务委员会举行会议时，人民代表大会代表或者常务委员会组成人员，依照法律规定程序就预算、决算中的有关问题提出询问或者质询，受询问或者受质询的有关的政府或者财政部门必须及时给予答复。

**第六十九条** 各级政府应当在每一预算年度内至少二次向本级人民代表大会或者其常务委员会作预算执行情况的报告。

**第七十条** 各级政府监督下级政府的预算执行；下级政府应当定期向上一级政府报告预算执行情况。

**第七十一条** 各级政府财政部门负责监督检查本级各部门及其所属各单位预算的执行；并向本级政府和上一级政府财政部门报告预算执行情况。

**第七十二条** 各级政府审计部门对本级各部门、各单位和下级政府的预算执行、决算实行审计监督。

## 第十章　法律责任

**第七十三条**　各级政府未经依法批准擅自变更预算,使经批准的收支平衡的预算的总支出超过总收入,或者使经批准的预算中举借债务的数额增加的,对负有直接责任的主管人员和其他直接责任人员追究行政责任。

**第七十四条**　违反法律、行政法规的规定,擅自动用国库库款或者擅自以其他方式支配已入国库的库款的,由政府财政部门责令退还或者追回国库库款,并由上级机关给予负有直接责任的主管人员和其他直接责任人员行政处分。

**第七十五条**　隐瞒预算收入或者将不应当在预算内支出的款项转为预算内支出的,由上一级政府或者本级政府财政部门责令纠正,并由上级机关给予负有直接责任的主管人员和其他直接责任人员行政处分。

## 第十一章　附　　则

**第七十六条**　各级政府、各部门、各单位应当加强对预算外资金的管理。预算外资金管理办法由国务院另行规定。各级人民代表大会要加强对预算外资金使用的监督。

**第七十七条**　民族自治地方的预算管理,依照民族区域自治法的有关规定执行;民族区域自治法没有规定的,依照本法和国务院的有关规定执行。

**第七十八条**　国务院根据本法制定实施条例。

**第七十九条**　本法自1995年1月1日起施行。1991年10月21日国务院发布的《国家预算管理条例》同时废止。

# 全国人大常委会关于加强中央预算审查监督的决定

（1999年12月25日第九届全国人民代表大会常务委员会第十三次会议通过）

为履行宪法赋予全国人民代表大会及其常务委员会的职责，贯彻依法治国的基本方略，规范预算行为，厉行节约，更好地发挥中央预算在发展国民经济、促进社会进步、改善人民生活和深化改革、扩大开放中的作用，必须加强对中央预算的审查和监督。为此，特作如下决定：

一、加强和改善预算编制工作。要坚持先有预算，后有支出，严格按预算支出的原则，细化预算和提前编制预算。各部门、各单位应当按照预算法的要求编好部门预算和单位预算，有关部门要按时批复预算、拨付资金。积极创造条件做到：中央本级预算的经常性支出按中央一级预算单位编制，中央预算建设性支出、基金支出按类别以及若干重大项目编制，中央财政对地方总的补助性支出按补助类别编制。在每个财政年度开始前将中央预算草案全部编制完毕。

二、加强和改善中央预算的初步审查工作。对中央预算的审查，应当按照真实、合法、效益和具有预测性的原则进行。国务院财政部门应当及时向全国人民代表大会财政经济委员会和全国人民代表大会常务委员会预算工作委员会通报有关中央预算编制的情况，在全国人民代表大会会议举行的一个半月前，将中央预算初步方案提交财政经济委员会，由财政经济委员会对上一年预算执行情况和本年度中央预算草案的主要内容进行初步审查。国务院财政部门应积极创造条件，做到提交审查的材料包括：科目列到类、重要的列到款的预算收支总表和中央政府性基金预算表，中央各预算单位收支表，建设性支出、基金支出的类别表和若干重大的项目表，按类别划分的中央财政返还或补助地方支出表，中央财政对农业、教育、科技、社会保障支出表等，以及有关说明。

三、全国人民代表大会会议期间，财政经济委员会根据各代表团和有关专门委员会的意见对中央及地方预算草案进行审查，并提出审查结果报告。全国人民代表大会关于中央及地方预算的决议，国务院应当贯彻执行。

四、加强对预算超收收入使用的监督。中央预算超收收入可以用于弥补中央财政赤字和其他必要的支出。中央预算执行过程中，需要动用超收收入追加支出时，应当编制超收收入使用方案，由国务院财政部门及时向财政经济委员会和预算工作委员会通报情况，国务院应向全国人民代表大会常务委员会作预计超收收入安排使用情况的报告。

五、严格控制不同预算科目之间的资金调剂，各部门、各单位的预算支出应当按照预算科目执行。中央预算安排的农业、教育、科技、社会保障预算资金的调减，须经全国人民代表大会常务委员会审查和批准，以后根据需要还可以逐步增加新的项目。

六、加强对中央预算调整方案的审查工作。因特殊情况必须调整中央预算时，国务院应当编制中央预算调整方案，并于当年 7 月至 9 月之间提交全国人民代表大会常务委员会。国务院财政部门应当及时向财政经济委员会和预算工作委员会通报中央预算调整的情况，在常务委员会举行会议审批中央预算调整方案的一个月前，将中央预算调整方案的初步方案提交财政经济委员会，由财政经济委员会进行初步审查。

七、中央决算草案应当按照全国人民代表大会批准的预算所列科目编制，按预算数、调整或变更数以及实际执行数分别列出，变化较大的要作出说明。中央决算草案应在全国人民代表大会常务委员会举行会议审查和批准的一个月前，提交财政经济委员会，由财政经济委员会结合审计工作报告进行初步审查。

八、加强对中央预算执行的审计。国务院审计部门要按照真实、合法和效益的要求，对中央预算执行情况和部门决算依法进行审计，审计出的问题要限时依法纠正、处理。国务院应当向全国人民代表大会常务委员会提出对中央预算执行和其他财政收支的审计工作报告，必要时，常务委员会可以对审计工作报告作出决议。

九、加强对中央预算执行情况的监督。在全国人民代表大会及其常务委员会领导下，财政经济委员会和预算工作委员会应当做好有关工作。国务院有关部门应及时向财政经济委员会、预算工作委员会提交落实全国人民代表大会关于预算决议的情况，对部门、单位批复的预算，预算收支执行情况，政府债务、社会保障基金等重点资金和预算外资金收支执行情况，有关经济、财政、金融、审计、税务、海关等综合性统计报告、规章制度及有关资料。

十、加强对预算外资金的监督。要采取措施将中央预算外资金纳入中央预算，对暂时不能纳入预算的要编制收支计划和决算。预算外资金的收支情况要向全国人民代表大会常务委员会报告。

十一、要依法执行备案制度。国务院应将全国人民代表大会授权其制定的经济体制改革和对外开放方面有关预算的暂行规定或条例，中央预算与地方预算有关收入和支出项目的划分、地方向中央上交收入、中央对地方返还或者给予补助的具体办法，省、自治区、直辖市政府报送国务院备案的预算的汇总，以及其他应报送的事项，及时报送全国人民代表大会常务委员会备案。

十二、预算工作委员会是全国人民代表大会常务委员会的工作机构，协助财政经济委员会承担全国人民代表大会及其常务委员会审查预决算、审查预算调整方案和监督预算执行方面的具体工作，受常务委员会委员长会议委托，承担有关法律草案的起草工作，协助财政经济委员会承担有关法律草案审议方面的具体工作，以及承办本决定第十一条规定的和常务委员会、委员长会议交办以及财政经济委员会需要协助办理的其他有关财政预算的具体事项。经委员长会议专项同意，预算工作委员会可以要求政府有关部门和单位提供预算情况，并获取相关信息资料及说明。经委员长会议专项批准，可以对各部门、各预算单位、重大建设项目的预算资金使用和专项资金的使用进行调查，政府有关部门和单位应积极协助、配合。

# 中华人民共和国会计法

（1985 年 1 月 21 日第六届全国人民代表大会常务委员会第九次会议通过　根据 1993 年 12 月 29 日第八届全国人民代表大会常务委员会第五次会议《关于修改〈中华人民共和国会计法〉的决定》修正　1999 年 10 月 31 日第九届全国人民代表大会常务委员会第十二次会议修订　1999 年 10 月 31 日中华人民共和国主席令第二十四号公布自 2000 年 7 月 1 日起施行）

## 目　　录



## 第一章　总　　则

**第一条**　为了规范会计行为，保证会计资料真实、完整，加强经济管理和财务管理，提高经济效益，维护社会主义市场经济秩序，制定本法。

**第二条** 国家机关、社会团体、公司、企业、事业单位和其他组织（以下统称单位）必须依照本法办理会计事务。

**第三条** 各单位必须依法设置会计账簿，并保证其真实、完整。

**第四条** 单位负责人对本单位的会计工作和会计资料的真实性、完整性负责。

**第五条** 会计机构、会计人员依照本法规定进行会计核算，实行会计监督。

任何单位或者个人不得以任何方式授意、指使、强令会计机构、会计人员伪造、变造会计凭证、会计账簿和其他会计资料，提供虚假财务会计报告。

任何单位或者个人不得对依法履行职责、抵制违反本法规定行为的会计人员实行打击报复。

**第六条** 对认真执行本法，忠于职守，坚持原则，做出显著成绩的会计人员，给予精神的或者物质的奖励。

**第七条** 国务院财政部门主管全国的会计工作。

县级以上地方各级人民政府财政部门管理本行政区域内的会计工作。

**第八条** 国家实行统一的会计制度。国家统一的会计制度由国务院财政部门根据本法制定并公布。

国务院有关部门可以依照本法和国家统一的会计制度制定对会计核算和会计监督有特殊要求的行业实施国家统一的会计制度的具体办法或者补充规定，报国务院财政部门审核批准。

中国人民解放军总后勤部可以依照本法和国家统一的会计制度制定军队实施国家统一的会计制度的具体办法，报国务院财政部门备案。

## 第二章　会 计 核 算

**第九条**　各单位必须根据实际发生的经济业务事项进行会计核算,填制会计凭证,登记会计账簿,编制财务会计报告。

任何单位不得以虚假的经济业务事项或者资料进行会计核算。

**第十条**　下列经济业务事项,应当办理会计手续,进行会计核算:

(一)款项和有价证券的收付;

(二)财物的收发、增减和使用;

(三)债权债务的发生和结算;

(四)资本、基金的增减;

(五)收入、支出、费用、成本的计算;

(六)财务成果的计算和处理;

(七)需要办理会计手续、进行会计核算的其他事项。

**第十一条**　会计年度自公历1月1日起至12月31日止。

**第十二条**　会计核算以人民币为记账本位币。

业务收支以人民币以外的货币为主的单位,可以选定其中一种货币作为记账本位币,但是编报的财务会计报告应当折算为人民币。

**第十三条**　会计凭证、会计账簿、财务会计报告和其他会计资料,必须符合国家统一的会计制度的规定。

使用电子计算机进行会计核算的,其软件及其生成的会计凭证、会计账簿、财务会计报告和其他会计资料,也必须符合国家统一的会计制度的规定。

任何单位和个人不得伪造、变造会计凭证、会计账簿及其他会计资料,不得提供虚假的财务会计报告。

**第十四条**　会计凭证包括原始凭证和记账凭证。

办理本法第十条所列的经济业务事项,必须填制或者取得原始凭证并及时送交会计机构。

会计机构、会计人员必须按照国家统一的会计制度的规定对原始凭证进行审核，对不真实、不合法的原始凭证有权不予接受，并向单位负责人报告；对记载不准确、不完整的原始凭证予以退回，并要求按照国家统一的会计制度的规定更正、补充。

原始凭证记载的各项内容均不得涂改；原始凭证有错误的，应当由出具单位重开或者更正，更正处应当加盖出具单位印章。原始凭证金额有错误的，应当由出具单位重开，不得在原始凭证上更正。

记账凭证应当根据经过审核的原始凭证及有关资料编制。

**第十五条** 会计账簿登记，必须以经过审核的会计凭证为依据，并符合有关法律、行政法规和国家统一的会计制度的规定。会计账簿包括总账、明细账、日记账和其他辅助性账簿。

会计账簿应当按照连续编号的页码顺序登记。会计账簿记录发生错误或者隔页、缺号、跳行的，应当按照国家统一的会计制度规定的方法更正，并由会计人员和会计机构负责人（会计主管人员）在更正处盖章。

使用电子计算机进行会计核算的，其会计账簿的登记、更正，应当符合国家统一的会计制度的规定。

**第十六条** 各单位发生的各项经济业务事项应当在依法设置的会计账簿上统一登记、核算，不得违反本法和国家统一的会计制度的规定私设会计账簿登记、核算。

**第十七条** 各单位应当定期将会计账簿记录与实物、款项及有关资料相互核对，保证会计账簿记录与实物及款项的实有数额相符、会计账簿记录与会计凭证的有关内容相符、会计账簿之间相对应的记录相符、会计账簿记录与会计报表的有关内容相符。

**第十八条** 各单位采用的会计处理方法，前后各期应当一致，不得随意变更；确有必要变更的，应当按照国家统一的会计制度的规定变更，并将变更的原因、情况及影响在财务会计报告中说明。

**第十九条** 单位提供的担保、未决诉讼等或有事项，应当按照国家统一的会计制度的规定，在财务会计报告中予以说明。

**第二十条**　财务会计报告应当根据经过审核的会计账簿记录和有关资料编制，并符合本法和国家统一的会计制度关于财务会计报告的编制要求、提供对象和提供期限的规定；其他法律、行政法规另有规定的，从其规定。

财务会计报告由会计报表、会计报表附注和财务情况说明书组成。向不同的会计资料使用者提供的财务会计报告，其编制依据应当一致。有关法律、行政法规规定会计报表、会计报表附注和财务情况说明书须经注册会计师审计的，注册会计师及其所在的会计师事务所出具的审计报告应当随同财务会计报告一并提供。

**第二十一条**　财务会计报告应当由单位负责人和主管会计工作的负责人、会计机构负责人（会计主管人员）签名并盖章；设置总会计师的单位，还须由总会计师签名并盖章。

单位负责人应当保证财务会计报告真实、完整。

**第二十二条**　会计记录的文字应当使用中文。在民族自治地方，会计记录可以同时使用当地通用的一种民族文字。在中华人民共和国境内的外商投资企业、外国企业和其他外国组织的会计记录可以同时使用一种外国文字。

**第二十三条**　各单位对会计凭证、会计账簿、财务会计报告和其他会计资料应当建立档案，妥善保管。会计档案的保管期限和销毁办法，由国务院财政部门会同有关部门制定。

## 第三章　公司、企业会计核算的特别规定

**第二十四条**　公司、企业进行会计核算，除应当遵守本法第二章的规定外，还应当遵守本章规定。

**第二十五条**　公司、企业必须根据实际发生的经济业务事项，按照国家统一的会计制度的规定确认、计量和记录资产、负债、所有者权益、收入、费用、成本和利润。

**第二十六条** 公司、企业进行会计核算不得有下列行为：

（一）随意改变资产、负债、所有者权益的确认标准或者计量方法，虚列、多列、不列或者少列资产、负债、所有者权益；

（二）虚列或者隐瞒收入，推迟或者提前确认收入；

（三）随意改变费用、成本的确认标准或者计量方法，虚列、多列、不列或者少列费用、成本；

（四）随意调整利润的计算、分配方法，编造虚假利润或者隐瞒利润；

（五）违反国家统一的会计制度规定的其他行为。

## 第四章 会 计 监 督

**第二十七条** 各单位应当建立、健全本单位内部会计监督制度。单位内部会计监督制度应当符合下列要求：

（一）记账人员与经济业务事项和会计事项的审批人员、经办人员、财物保管人员的职责权限应当明确，并相互分离、相互制约；

（二）重大对外投资、资产处置、资金调度和其他重要经济业务事项的决策和执行的相互监督、相互制约程序应当明确；

（三）财产清查的范围、期限和组织程序应当明确；

（四）对会计资料定期进行内部审计的办法和程序应当明确。

**第二十八条** 单位负责人应当保证会计机构、会计人员依法履行职责，不得授意、指使、强令会计机构、会计人员违法办理会计事项。

会计机构、会计人员对违反本法和国家统一的会计制度规定的会计事项，有权拒绝办理或者按照职权予以纠正。

**第二十九条** 会计机构、会计人员发现会计账簿记录与实物、款项及有关资料不相符的，按照国家统一的会计制度的规定有权自行处理的，应当及时处理；无权处理的，应当立即向单位负责人报告，请求查明原因，作出处理。

**第三十条** 任何单位和个人对违反本法和国家统一的会计制度规定的行为，有权检举。收到检举的部门有权处理的，应当依法按照职责分工及时处理；无权处理的，应当及时移送有权处理的部门处理。收到检举的部门、负责处理的部门应当为检举人保密，不得将检举人姓名和检举材料转给被检举单位和被检举人个人。

**第三十一条** 有关法律、行政法规规定，须经注册会计师进行审计的单位，应当向受委托的会计师事务所如实提供会计凭证、会计账簿、财务会计报告和其他会计资料以及有关情况。

任何单位或者个人不得以任何方式要求或者示意注册会计师及其所在的会计师事务所出具不实或者不当的审计报告。

财政部门有权对会计师事务所出具审计报告的程序和内容进行监督。

**第三十二条** 财政部门对各单位的下列情况实施监督：

（一）是否依法设置会计账簿；

（二）会计凭证、会计账簿、财务会计报告和其他会计资料是否真实、完整；

（三）会计核算是否符合本法和国家统一的会计制度的规定；

（四）从事会计工作的人员是否具备从业资格。

在对前款第（二）项所列事项实施监督，发现重大违法嫌疑时，国务院财政部门及其派出机构可以向与被监督单位有经济业务往来的单位和被监督单位开立账户的金融机构查询有关情况，有关单位和金融机构应当给予支持。

**第三十三条** 财政、审计、税务、人民银行、证券监管、保险监管等部门应当依照有关法律、行政法规规定的职责，对有关单位的会计资料实施监督检查。

前款所列监督检查部门对有关单位的会计资料依法实施监督检查后，应当出具检查结论。有关监督检查部门已经作出的检查结论能够满足其他监督检查部门履行本部门职责需要的，其他监督检查部门应当加以利用，避免重复查账。

**第三十四条**　依法对有关单位的会计资料实施监督检查的部门及其工作人员对在监督检查中知悉的国家秘密和商业秘密负有保密义务。

**第三十五条**　各单位必须依照有关法律、行政法规的规定，接受有关监督检查部门依法实施的监督检查，如实提供会计凭证、会计账簿、财务会计报告和其他会计资料以及有关情况，不得拒绝、隐匿、谎报。

## 第五章　会计机构和会计人员

**第三十六条**　各单位应当根据会计业务的需要，设置会计机构，或者在有关机构中设置会计人员并指定会计主管人员；不具备设置条件的，应当委托经批准设立从事会计代理记账业务的中介机构代理记账。

国有的和国有资产占控股地位或者主导地位的大、中型企业必须设置总会计师。总会计师的任职资格、任免程序、职责权限由国务院规定。

**第三十七条**　会计机构内部应当建立稽核制度。

出纳人员不得兼任稽核、会计档案保管和收入、支出、费用、债权债务账目的登记工作。

**第三十八条**　从事会计工作的人员，必须取得会计从业资格证书。

担任单位会计机构负责人（会计主管人员）的，除取得会计从业资格证书外，还应当具备会计师以上专业技术职务资格或者从事会计工作三年以上经历。

会计人员从业资格管理办法由国务院财政部门规定。

**第三十九条**　会计人员应当遵守职业道德，提高业务素质。对会计人员的教育和培训工作应当加强。

**第四十条**　因有提供虚假财务会计报告，做假账，隐匿或者故意销毁会计凭证、会计账簿、财务会计报告，贪污，挪用公款，职务侵占等与会计职务有关的违法行为被依法追究刑事责任的人员，不得取得或者重新取得会计从业资格证书。

除前款规定的人员外，因违法违纪行为被吊销会计从业资格证书的人员，自被吊销会计从业资格证书之日起五年内，不得重新取得会计从业资格证书。

**第四十一条**　会计人员调动工作或者离职，必须与接管人员办清交接手续。

一般会计人员办理交接手续，由会计机构负责人（会计主管人员）监交；会计机构负责人（会计主管人员）办理交接手续，由单位负责人监交，必要时主管单位可以派人会同监交。

## 第六章　法律责任

**第四十二条**　违反本法规定，有下列行为之一的，由县级以上人民政府财政部门责令限期改正，可以对单位并处三千元以上五万元以下的罚款；对其直接负责的主管人员和其他直接责任人员，可以处二千元以上二万元以下的罚款；属于国家工作人员的，还应当由其所在单位或者有关单位依法给予行政处分：

（一）不依法设置会计账簿的；

（二）私设会计账簿的；

（三）未按照规定填制、取得原始凭证或者填制、取得的原始凭证不符合规定的；

（四）以未经审核的会计凭证为依据登记会计账簿或者登记会计账簿不符合规定的；

（五）随意变更会计处理方法的；

（六）向不同的会计资料使用者提供的财务会计报告编制依据不一致的；

（七）未按照规定使用会计记录文字或者记账本位币的；

（八）未按照规定保管会计资料，致使会计资料毁损、灭失的；

（九）未按照规定建立并实施单位内部会计监督制度或者拒绝依法实施的监督或者不如实提供有关会计资料及有关情况的；

（十）任用会计人员不符合本法规定的。

有前款所列行为之一，构成犯罪的，依法追究刑事责任。

会计人员有第一款所列行为之一，情节严重的，由县级以上人民政府财政部门吊销会计从业资格证书。

有关法律对第一款所列行为的处罚另有规定的，依照有关法律的规定办理。

**第四十三条** 伪造、变造会计凭证、会计账簿，编制虚假财务会计报告，构成犯罪的，依法追究刑事责任。

有前款行为，尚不构成犯罪的，由县级以上人民政府财政部门予以通报，可以对单位并处五千元以上十万元以下的罚款；对其直接负责的主管人员和其他直接责任人员，可以处三千元以上五万元以下的罚款；属于国家工作人员的，还应当由其所在单位或者有关单位依法给予撤职直至开除的行政处分；对其中的会计人员，并由县级以上人民政府财政部门吊销会计从业资格证书。

**第四十四条** 隐匿或者故意销毁依法应当保存的会计凭证、会计账簿、财务会计报告，构成犯罪的，依法追究刑事责任。

有前款行为，尚不构成犯罪的，由县级以上人民政府财政部门予以通报，可以对单位并处五千元以上十万元以下的罚款；对其直接负责的主管人员和其他直接责任人员，可以处三千元以上五万元以下的罚款；属于国家工作人员的，还应当由其所在单位或者有关单位依法给予撤职直至开除的行政处分；对其中的会计人员，并由县级以上人民政府财政部门吊销会计从业资格证书。

**第四十五条** 授意、指使、强令会计机构、会计人员及其他人员伪造、变造会计凭证、会计账簿，编制虚假财务会计报告或者隐匿、故意销毁依法应当保存的会计凭证、会计账簿、财务会计报告，构成犯罪的，依法追究刑事责任；尚不构成犯罪的，可以处五千元以上五万元以下的罚款；属于国家工作人员的，还应当由其所在单位或者有关单位依法给予降级、撤职、开除的行政处分。

**第四十六条**　单位负责人对依法履行职责、抵制违反本法规定行为的会计人员以降级、撤职、调离工作岗位、解聘或者开除等方式实行打击报复，构成犯罪的，依法追究刑事责任；尚不构成犯罪的，由其所在单位或者有关单位依法给予行政处分。对受打击报复的会计人员，应当恢复其名誉和原有职务、级别。

**第四十七条**　财政部门及有关行政部门的工作人员在实施监督管理中滥用职权、玩忽职守、徇私舞弊或者泄露国家秘密、商业秘密，构成犯罪的，依法追究刑事责任；尚不构成犯罪的，依法给予行政处分。

**第四十八条**　违反本法第三十条规定，将检举人姓名和检举材料转给被检举单位和被检举人个人的，由所在单位或者有关单位依法给予行政处分。

**第四十九条**　违反本法规定，同时违反其他法律规定的，由有关部门在各自职权范围内依法进行处罚。

## 第七章　附　　则

**第五十条**　本法下列用语的含义：

单位负责人，是指单位法定代表人或者法律、行政法规规定代表单位行使职权的主要负责人。

国家统一的会计制度，是指国务院财政部门根据本法制定的关于会计核算、会计监督、会计机构和会计人员以及会计工作管理的制度。

**第五十一条**　个体工商户会计管理的具体办法，由国务院财政部门根据本法的原则另行规定。

**第五十二条**　本法自2000年7月1日起施行。

# 财政违法行为处罚处分条例

（2004 年 11 月 30 日国务院令第 427 号公布）

**第一条** 为了纠正财政违法行为，维护国家财政经济秩序，制定本条例。

**第二条** 县级以上人民政府财政部门及审计机关在各自职权范围内，依法对财政违法行为作出处理、处罚决定。

省级以上人民政府财政部门的派出机构，应当在规定职权范围内，依法对财政违法行为作出处理、处罚决定；审计机关的派出机构，应当根据审计机关的授权，依法对财政违法行为作出处理、处罚决定。

根据需要，国务院可以依法调整财政部门及其派出机构（以下统称财政部门）、审计机关及其派出机构（以下统称审计机关）的职权范围。

有财政违法行为的单位，其直接负责的主管人员和其他直接责任人员，以及有财政违法行为的个人，属于国家公务员的，由监察机关及其派出机构（以下统称监察机关）或者任免机关依照人事管理权限，依法给予行政处分。

**第三条** 财政收入执收单位及其工作人员有下列违反国家财政收入管理规定的行为之一的，责令改正，补收应当收取的财政收入，限期退还违法所得。对单位给予警告或者通报批评。对直接负责的主管人员和其他直接责任人员给予警告、记过或者记大过处分；情节严重的，给予降级或者撤职处分：

（一）违反规定设立财政收入项目；

（二）违反规定擅自改变财政收入项目的范围、标准、对象和期限；

（三）对已明令取消、暂停执行或者降低标准的财政收入项目，仍然依照原定项目、标准征收或者变换名称征收；

（四）缓收、不收财政收入；

（五）擅自将预算收入转为预算外收入；

（六）其他违反国家财政收入管理规定的行为。

《中华人民共和国税收征收管理法》等法律、行政法规另有规定的，依照其规定给予行政处分。

**第四条**　财政收入执收单位及其工作人员有下列违反国家财政收入上缴规定的行为之一的，责令改正，调整有关会计账目，收缴应当上缴的财政收入，限期退还违法所得。对单位给予警告或者通报批评。对直接负责的主管人员和其他直接责任人员给予记大过处分；情节较重的，给予降级或者撤职处分；情节严重的，给予开除处分：

（一）隐瞒应当上缴的财政收入；

（二）滞留、截留、挪用应当上缴的财政收入；

（三）坐支应当上缴的财政收入；

（四）不依照规定的财政收入预算级次、预算科目入库；

（五）违反规定退付国库库款或者财政专户资金；

（六）其他违反国家财政收入上缴规定的行为。

《中华人民共和国税收征收管理法》、《中华人民共和国预算法》等法律、行政法规另有规定的，依照其规定给予行政处分。

**第五条**　财政部门、国库机构及其工作人员有下列违反国家有关上解、下拨财政资金规定的行为之一的，责令改正，限期退还违法所得。对单位给予警告或者通报批评。对直接负责的主管人员和其他直接责任人员给予记过或者记大过处分；情节较重的，给予降级或

者撤职处分;情节严重的,给予开除处分:

(一)延解、占压应当上解的财政收入;

(二)不依照预算或者用款计划核拨财政资金;

(三)违反规定收纳、划分、留解、退付国库库款或者财政专户资金;

(四)将应当纳入国库核算的财政收入放在财政专户核算;

(五)擅自动用国库库款或者财政专户资金;

(六)其他违反国家有关上解、下拨财政资金规定的行为。

**第六条** 国家机关及其工作人员有下列违反规定使用、骗取财政资金的行为之一的,责令改正,调整有关会计账目,追回有关财政资金,限期退还违法所得。对单位给予警告或者通报批评。对直接负责的主管人员和其他直接责任人员给予记大过处分;情节较重的,给予降级或者撤职处分;情节严重的,给予开除处分:

(一)以虚报、冒领等手段骗取财政资金;

(二)截留、挪用财政资金;

(三)滞留应当下拨的财政资金;

(四)违反规定扩大开支范围,提高开支标准;

(五)其他违反规定使用、骗取财政资金的行为。

**第七条** 财政预决算的编制部门和预算执行部门及其工作人员有下列违反国家有关预算管理规定的行为之一的,责令改正,追回有关款项,限期调整有关预算科目和预算级次。对单位给予警告或者通报批评。对直接负责的主管人员和其他直接责任人员给予警告、记过或者记大过处分;情节较重的,给予降级处分;情节严重的,给予撤职处分:

(一)虚增、虚减财政收入或者财政支出;

(二)违反规定编制、批复预算或者决算;

(三)违反规定调整预算;

(四)违反规定调整预算级次或者预算收支种类;

(五)违反规定动用预算预备费或者挪用预算周转金;

（六）违反国家关于转移支付管理规定的行为；

（七）其他违反国家有关预算管理规定的行为。

**第八条** 国家机关及其工作人员违反国有资产管理的规定，擅自占有、使用、处置国有资产的，责令改正，调整有关会计账目，限期退还违法所得和被侵占的国有资产。对单位给予警告或者通报批评。对直接负责的主管人员和其他直接责任人员给予记大过处分；情节较重的，给予降级或者撤职处分；情节严重的，给予开除处分。

**第九条** 单位和个人有下列违反国家有关投资建设项目规定的行为之一的，责令改正，调整有关会计账目，追回被截留、挪用、骗取的国家建设资金，没收违法所得，核减或者停止拨付工程投资。对单位给予警告或者通报批评，其直接负责的主管人员和其他直接责任人员属于国家公务员的，给予记大过处分；情节较重的，给予降级或者撤职处分；情节严重的，给予开除处分：

（一）截留、挪用国家建设资金；

（二）以虚报、冒领、关联交易等手段骗取国家建设资金；

（三）违反规定超概算投资；

（四）虚列投资完成额；

（五）其他违反国家投资建设项目有关规定的行为。

《中华人民共和国政府采购法》、《中华人民共和国招标投标法》、《国家重点建设项目管理办法》等法律、行政法规另有规定的，依照其规定处理、处罚。

**第十条** 国家机关及其工作人员违反《中华人民共和国担保法》及国家有关规定，擅自提供担保的，责令改正，没收违法所得。对单位给予警告或者通报批评。对直接负责的主管人员和其他直接责任人员给予警告、记过或者记大过处分；造成损失的，给予降级或者撤职处分；造成重大损失的，给予开除处分。

**第十一条** 国家机关及其工作人员违反国家有关账户管理规定，擅自在金融机构开立、使用账户的，责令改正，调整有关会计账目，追回有关财政资金，没收违法所得，依法撤销擅自开立的账户。

对单位给予警告或者通报批评。对直接负责的主管人员和其他直接责任人员给予降级处分;情节严重的,给予撤职或者开除处分。

**第十二条** 国家机关及其工作人员有下列行为之一的,责令改正,调整有关会计账目,追回被挪用、骗取的有关资金,没收违法所得。对单位给予警告或者通报批评。对直接负责的主管人员和其他直接责任人员给予降级处分;情节较重的,给予撤职处分;情节严重的,给予开除处分:

(一)以虚报、冒领等手段骗取政府承贷或者担保的外国政府贷款、国际金融组织贷款;

(二)滞留政府承贷或者担保的外国政府贷款、国际金融组织贷款;

(三)截留、挪用政府承贷或者担保的外国政府贷款、国际金融组织贷款;

(四)其他违反规定使用、骗取政府承贷或者担保的外国政府贷款、国际金融组织贷款的行为。

**第十三条** 企业和个人有下列不缴或者少缴财政收入行为之一的,责令改正,调整有关会计账目,收缴应当上缴的财政收入,给予警告,没收违法所得,并处不缴或者少缴财政收入10%以上30%以下的罚款;对直接负责的主管人员和其他直接责任人员处3000元以上5万元以下的罚款:

(一)隐瞒应当上缴的财政收入;

(二)截留代收的财政收入;

(三)其他不缴或者少缴财政收入的行为。

属于税收方面的违法行为,依照有关税收法律、行政法规的规定处理、处罚。

**第十四条** 企业和个人有下列行为之一的,责令改正,调整有关会计账目,追回违反规定使用、骗取的有关资金,给予警告,没收违法所得,并处被骗取有关资金10%以上50%以下的罚款或者被违规使用有关资金10%以上30%以下的罚款;对直接负责的主管人员和其他直接责任人员处3000元以上5万元以下的罚款：

（一）以虚报、冒领等手段骗取财政资金以及政府承贷或者担保的外国政府贷款、国际金融组织贷款；

（二）挪用财政资金以及政府承贷或者担保的外国政府贷款、国际金融组织贷款；

（三）从无偿使用的财政资金以及政府承贷或者担保的外国政府贷款、国际金融组织贷款中非法获益；

（四）其他违反规定使用、骗取财政资金以及政府承贷或者担保的外国政府贷款、国际金融组织贷款的行为。

属于政府采购方面的违法行为，依照《中华人民共和国政府采购法》及有关法律、行政法规的规定处理、处罚。

**第十五条** 事业单位、社会团体、其他社会组织及其工作人员有财政违法行为的，依照本条例有关国家机关的规定执行；但其在经营活动中的财政违法行为，依照本条例第十三条、第十四条的规定执行。

**第十六条** 单位和个人有下列违反财政收入票据管理规定的行为之一的，销毁非法印制的票据，没收违法所得和作案工具。对单位处5000元以上10万元以下的罚款；对直接负责的主管人员和其他直接责任人员处3000元以上5万元以下的罚款。属于国家公务员的，还应当给予降级或者撤职处分；情节严重的，给予开除处分：

（一）违反规定印制财政收入票据；

（二）转借、串用、代开财政收入票据；

（三）伪造、变造、买卖、擅自销毁财政收入票据；

（四）伪造、使用伪造的财政收入票据监（印）制章；

（五）其他违反财政收入票据管理规定的行为。

属于税收收入票据管理方面的违法行为，依照有关税收法律、行政法规的规定处理、处罚。

**第十七条** 单位和个人违反财务管理的规定，私存私放财政资金或者其他公款的，责令改正，调整有关会计账目，追回私存私放的资金，没收违法所得。对单位处3000元以上5万元以下的罚款；对直接负责的主管人员和其他直接责任人员处2000元以上2万元以下的罚款。属于国家公务员的，还应当给予记大过处分；情节严重的，给予降级或者撤职处分。

**第十八条**　属于会计方面的违法行为，依照会计方面的法律、行政法规的规定处理、处罚。对其直接负责的主管人员和其他直接责任人员，属于国家公务员的，还应当给予警告、记过或者记大过处分；情节较重的，给予降级或者撤职处分；情节严重的，给予开除处分。

**第十九条**　属于行政性收费方面的违法行为，《中华人民共和国行政许可法》、《违反行政事业性收费和罚没收入收支两条线管理规定行政处分暂行规定》等法律、行政法规及国务院另有规定的，有关部门依照其规定处理、处罚、处分。

**第二十条**　单位和个人有本条例规定的财政违法行为，构成犯罪的，依法追究刑事责任。

**第二十一条**　财政部门、审计机关、监察机关依法进行调查或者检查时，被调查、检查的单位和个人应当予以配合，如实反映情况，不得拒绝、阻挠、拖延。

违反前款规定的，责令限期改正。逾期不改正的，对属于国家公务员的直接负责的主管人员和其他直接责任人员，给予警告、记过或者记大过处分；情节严重的，给予降级或者撤职处分。

**第二十二条**　财政部门、审计机关、监察机关依法进行调查或者检查时，经县级以上人民政府财政部门、审计机关、监察机关的负责人批准，可以向与被调查、检查单位有经济业务往来的单位查询有关情况，可以向金融机构查询被调查、检查单位的存款，有关单位和金融机构应当配合。

财政部门、审计机关、监察机关在依法进行调查或者检查时，执法人员不得少于2人，并应当向当事人或者有关人员出示证件；查询存款时，还应当持有县级以上人民政府财政部门、审计机关、监察机关签发的查询存款通知书，并负有保密义务。

**第二十三条** 财政部门、审计机关、监察机关依法进行调查或者检查时，在有关证据可能灭失或者以后难以取得的情况下，经县级以上人民政府财政部门、审计机关、监察机关的负责人批准，可以先行登记保存，并应当在7日内及时作出处理决定。在此期间，当事人或者有关人员不得销毁或者转移证据。

**第二十四条** 对被调查、检查单位或者个人正在进行的财政违法行为，财政部门、审计机关应当责令停止。拒不执行的，财政部门可以暂停财政拨款或者停止拨付与财政违法行为直接有关的款项，已经拨付的，责令其暂停使用；审计机关可以通知财政部门或者其他有关主管部门暂停财政拨款或者停止拨付与财政违法行为直接有关的款项，已经拨付的，责令其暂停使用，财政部门和其他有关主管部门应当将结果书面告知审计机关。

**第二十五条** 依照本条例规定限期退还的违法所得，到期无法退还的，应当收缴国库。

**第二十六条** 单位和个人有本条例所列财政违法行为，财政部门、审计机关、监察机关可以公告其财政违法行为及处理、处罚、处分决定。

**第二十七条** 单位和个人有本条例所列财政违法行为，弄虚作假骗取荣誉称号及其他有关奖励的，应当撤销其荣誉称号并收回有关奖励。

**第二十八条** 财政部门、审计机关、监察机关的工作人员滥用职权、玩忽职守、徇私舞弊的，给予警告、记过或者记大过处分；情节较重的，给予降级或者撤职处分；情节严重的，给予开除处分。构成犯罪的，依法追究刑事责任。

**第二十九条** 财政部门、审计机关、监察机关及其他有关监督检查机关对有关单位或者个人依法进行调查、检查后，应当出具调查、检查结论。有关监督检查机关已经作出的调查、检查结论能够满足其他监督检查机关履行本机关职责需要的，其他监督检查机关应当加以利用。

**第三十条** 财政部门、审计机关、监察机关及其他有关机关应当加强配合，对不属于其职权范围的事项，应当依法移送。受移送机关应当及时处理，并将结果书面告知移送机关。

**第三十一条** 对财政违法行为作出处理、处罚和处分决定的程序，依照本条例和《中华人民共和国行政处罚法》、《中华人民共和国行政监察法》等有关法律、行政法规的规定执行。

**第三十二条** 单位和个人对处理、处罚不服的，按照《中华人民共和国行政复议法》、《中华人民共和国行政诉讼法》的规定申请复议或者提起诉讼。

国家公务员对行政处分不服的，依照《中华人民共和国行政监察法》、《国家公务员暂行条例》等法律、行政法规的规定提出申诉。

**第三十三条** 本条例所称"财政收入执收单位"，是指负责收取税收收入和各种非税收入的单位。

**第三十四条** 对法律、法规授权的具有管理公共事务职能的组织以及国家行政机关依法委托的组织及其工勤人员以外的工作人员，企业、事业单位、社会团体中由国家行政机关以委任、派遣等形式任命的人员以及其他人员有本条例规定的财政违法行为，需要给予处分的，参照本条例有关规定执行。

**第三十五条** 本条例自2005年2月1日起施行。1987年6月16日国务院发布的《国务院关于违反财政法规处罚的暂行规定》同时废止。

# 附录二:相关说明、报告和意见

## 关于《中华人民共和国审计法修正案(草案)》的说明

审计署审计长 李金华

委员长、各位副委员长、秘书长、各位委员:

我受国务院的委托,现对《中华人民共和国审计法修正案(草案)》作说明。

《中华人民共和国审计法》(以下简称《审计法》)是第八届全国人民代表大会常务委员会第九次会议于 1994 年 8 月 31 日通过,自 1995 年 1 月 1 日起施行的。《审计法》施行以来,对于健全国家的审计制度,维护财政经济秩序,促进廉政建设,保障国民经济健康发展发挥了重要作用。但是,在我国社会主义市场经济体制逐步建立和完善过程中,仍然有很多不规范甚至违法的财政收支、财政收支行为。近年来,党中央和国务院多次强调,要推进财政管理体制改革,完善预算编制、执行的制衡机制,加强审计的专门监督。社会各界也对加强审计监督提出了更高的要求。《审计法》的一些内容已不能适应实际情况的需要,有必要进行修改,以完善审计监督制度,加大审计监督力度,进一步维护国家财政经济秩序。

根据全国人大常委会和国务院2004年立法工作计划，审计署于2004年初开始研究修改《审计法》，经认真调查研究，起草了《审计法（修订征求意见稿）》，会同国务院法制办于2004年5月底征求了全国人大财经委、全国人大常委会法工委、监察部、财政部等31个中央单位和北京、上海、辽宁等8个地方政府以及有关专家的意见。在此基础上，国务院法制办会同审计署反复研究、修改，形成了《中华人民共和国审计法修正案（草案）》（以下简称草案），草案共37条。此次修改，主要是体现党中央和国务院关于加强审计监督的精神，总结实践经验并借鉴国际惯例，在保持《审计法》框架基本不变的基础上，对部分条款作了修改。草案已经国务院第105次常委会议讨论通过。现将草案的几个主要问题说明如下：

## 一、为健全审计监督体系所做的修改

（一）目前，审计署经国务院批准设立的派出机构，有审计署驻地方特派员办事处和中央部门派出审计局两种形式，地方审计机关经本级政府批准，也设立了派出机构。为有利于派出机构依法履行监督职责，在《审计法》第十条中明确了审计机关派出机构的法律地位，将“审计特派员”的表述修改为“派出机构”（草案第四条）。

（二）为更好地保障审计监督的独立性、真实性，参照《中华人民共和国行政监察法》的规定，在《审计法》第十五条中增加一款规定：“县级以上地方各级审计机关正职、副职负责人的任命或者免职，在提请决定前，必须经上一级审计机关同意。”（草案第五条）

## 二、关于审计监督范围所做的修改

（一）为对国有资产实施更加充分、有效地审计监督，促进国有资产的保值增值，将《审计法》第十八条第二款中的“国有金融机构”扩展为“国有和国有资产占控股地位的金融机构”（草案第八条）。同时，将第二十三条中的“国家建设项目”修改为“政府投资、国有企业投资的建设项目和以政府投资或者国有企业投资为主的建设项目”，并增加一款规定:“审计机关对与前款所列的建设项目直接有关的建设、设计、施工、勘察、监理、采购等单位取得的建设项目资金的真实、合法情况,进行审计或者调查。”(草案第十一条)此外,将《审计法》第二条、第十九条、第二十九条中的“国家的事业组织”,修改为“有国有资产的事业组织”。(草案第二条、第九条、第十六条)

(二)为加强对领导干部的监督管理,严格责任追究制度,促进党风廉政建设,根据党中央和国务院有关文件精神,在《审计法》中增加一条规定:“审计机关依照国家有关规定,对国家机关、国有和国有资产占控股地位的企业和金融机构、有国有资产的事业组织以及管理、使用财政资金的其他单位的主要负责人,在任职期间对本地方、本部门或者本单位的财政收支、财务收支以及有关经济活动所负经济责任的履行情况,进行审计监督。”(草案第十三条)

(三)根据社会审计机构管理体制的变化和财政部、审计署的“三定”规定精神,将《审计法》第三十条改为第二十九条,修改为:“依照国务院规定,审计机关有权对社会审计机构的相关审计报告进行检查。”(草案第十七条)

## 三、为强化审计监督手段所做的修改

(一)在《审计法》第三十一条规定的审计机关要求被审计单位提供的资料中,增加“运用电子计算机储存、处理的财政收支、财务收支电子数据和必要的电子计算机技术文档”和“在金融机构开立账户的情况”。并增加一款规定:“审计机关有权要求被审计单位负责人对本单位提供的财务会计资料的真实性和完整性作出书面承诺。”(草案第十八条)

(二)在《审计法》第三十二条规定的审计机关检查被审计单位的资料中,增加“运用电子计算机管理财政收支、财务收支电子数据的系统”。(草案第十九条)

(三)在《审计法》第三十三条中增加两款规定:“审计机关经县级以上审计机关负责人批准,有权查询被审计单位在金融机构的账户。”“审计机关有证据证明被审计单位以个人名义存储公款的，经县级以上审计机关负责人批准，有权查询被审计单位以个人名义在金融机构的存款。”（草案第二十条）

四、为完善审计监督机制所做的修改

（一）为促进审计机关在工作中与其他机关密切配合，形成监督合力，在《审计法》中增加一条规定：“审计机关在审计工作中，可以提请公安、监察、财政、税务、海关、价格、工商行政管理等机关予以协助。”（草案第二十二条）

（二）鉴于审计工作专业性强，不同于一般的行政工作，为加强对审计工作质量的控制，借鉴国际上通行的审计程序制度，在《审计法》中增加一条规定：“审计机关设立审计报告审议委员会，审议审计报告。审计报告审议委员会的组成和工作程序，由审计署规定。”（草案第二十五条）

（三）为保证审计监督准确、公正，在《审计法》中增加一条规定，上级审计机关可以纠正下级审计机关的不适当决定（草案第二十七条）。

此外，还对《审计法》部分条款的文字作了一些修改，并对条款顺序作了相应调整。

《中华人民共和国审计法修正案（草案）》和以上说明是否妥当，请审议。

# 全国人大法律委员会关于《中华人民共和国审计法修正案(草案)》审议结果的报告

全国人民代表大会常务委员会:

常委会第十八次会议对审计法修正案(草案)进行了初次审议。会后,法制工作委员会将草案印发各省(区、市)、中央有关部门和有关单位征求意见。法律委员会、财经委员会和法制工作委员会还联合召开座谈会,听取意见;并就有关问题同有关部门交换意见,反复研究。法律委员会于2月8日召开会议,根据常委会组成人员的审议意见以及有关方面的意见,对草案进行了逐条审议。财经委员会和国务院法制办、审计署的负责同志列席了会议。2月21日,法律委员会召开会议,再次进行了审议。法律委员会认为,为进一步加强审计监督,对审计法作适当修改是必要的,草案基本可行;同时,提出以下主要修改意见:

一、现行审计法第四条规定:国务院和县级以上地方政府应当每年向本级人大常委会提出对预算执行和其他财政收支的审计工作报告。有些常委委员和财经委员会提出,向人大常委会提出的审计报告,应当突出重点,主要反映对预算执行的审计情况,人大常委会可以对报告作出决议;国务院和地方政府应将审计发现问题的整改情况向人大常委会报告。法律委员会经同财经委员会和国务院法制办、审计署研究,建议在这一条中增加规定:“审计工作报告应当重点报告对预算执行的审计情况。必要时,人民代表大会常务委员会可以对审计工作报告作出决议。”“国务院和县级以上地方人民政府应当将审计工作报告中指出的问题的纠正情况和处理结果向本级人民代表大会常务委员会报告。”(修改决定草案第三条)

二、修正案草案第二条、第八条和第十条分别对现行审计法的有关规定作了修改,明确地将“国有资产占控股地位的”企业和金融机构纳入审计范围,规定:审计机关对国有的和国有资产占控股地位的企业和金融机构的资产、负债、损益,进行审计监督。有些常委委员和地方、部门、企业提出,审计机关对国有资本占控股地位的企业、金融机构的审计监督,包括对其中的上市公司和外商投资的企业和金融机构的审计,有其特殊性,需要由国务院作出具体规定。法律委员会经同财经委员会和国务院法制办、审计署研究,建议将上述三条中对国有资产占控股地位的企业和金融机构的审计监督的规定合并修改为:“对国有资本占控股地位或者主导地位的企业、金融机构的审计监督,由国务院规定。”(修改决定草案第十条)

三、修正案草案第五条规定:县级以上地方各级审计机关正职、副职负责人的任免,在提请决定前,必须经上一级审计机关同意。有些常委委员、中央组织部和有些地方提出,对作为地方政府组成部门的地方审计机关负责人的任免,以事先征求上一级审计机关的意见为妥。法律委员会经同财经委员会和国务院法制办研究,建议将上述规定修改为:“地方各级审计机关负责人的任免,应当事先征求上一级审计机关的意见。”(修改决定草案第五条)

四、修正案草案第十一条规定:“审计机关对政府投资、国有企业投资的建设项目和以政府投资或者国有企业投资为主的建设项目的预算执行情况和决算,进行审计监督。”“审计机关对与前款所列的建设项目直接有关的建设、设计、施工、勘察、监理、采购等单位取得的建设项目资金的真实、合法情况,进行审计或者调查。”有些常委委员和地方提出,审计机关对国有企业实施审计监督,已经包括了对国有企业的投资项目实施审计监督,不宜再将国有企业的投资项目单独作为审计对象。现行审计法第三十三条关于审计机关有权就审计事项的有关问题向有关单位进行调查的规定，已经包括了向与被审计的建设项目直接有关的设计、施工、勘察、监理、采购等单位进行调查，不必重复规定；同时，由于这些单位有外资的、私营的、合伙的，不宜将这些单位纳入审计监督范围。法律委员会经同财经委员会和国务院法制办、审计署研究，建议删去这一条中的上述内容，修改为："审计机关对政府投资和以政府投资为主的建设项目的预算执行情况和决算，进行审计监督。"（修改决定草案第十一条）

五、修正案草案第十七条规定：依照国务院规定，审计机关有权对社会审计机构的相关审计报告进行检查。有的地方和部门提出，对外资企业、私营企业、合伙企业等不属于审计机关审计监督对象的单位委托社会审计机构为其所作的审计报告，审计机关不宜检查。法律委员会经同财经委员会和国务院法制办、审计署研究，建议将这一条修改为："社会审计机构审计的单位属于审计机关审计监督对象的，审计机关按照国务院的规定，有权对该社会审计机构出具的相关审计报告进行核查。"（修改决定草案第十五条）

六、有些常委委员和财经委员会提出，修正案草案第二十八条只规定了对审计决定不服的，可以申请行政复议，不够完整；还应规定对复议决定不服的，可以提起行政诉讼。法律委员会经同财经委员会、国务院法制办和审计署研究认为，审计机关对企业、事业单位的财务收支作出的审计决定，被审计单位不服的，可以依法申请行政复议、提起行政诉讼；对政府部门等单位属于政府预算管理的资金的解缴、下拨、使用等有关财政收支的审计决定，被审计单位不服的，应提请本级政府处理。据此，法律委员会建议将修正案草案第二十八条的规定修改为："被审计单位对审计机关作出的有关财务收支的审计决定不服的，可以依法申请行政复议或者提起行政诉讼。""被审计单位对审计机关作出的有关财政收支的审计决定不服的，可以提请审计机关的本级人民政府裁决，本级人民政府的裁决为最终决定。"（修改决定草案第三十二条）

此外，还对修正案草案作了一些文字修改。

法律委员会已按上述意见提出关于修改审计法的决定(草案),建议本次常委会会议审议通过。

修改决定草案和以上报告是否妥当,请审议。

全国人大法律委员会
2006年2月25日

# 全国人大法律委员会<br>关于修改审计法的决定(草案)<br>修改意见的报告

(2006 年 2 月 27 日)

全国人大法律委员会主任委员 杨景宇

全国人民代表大会常务委员会:

本次常委会会议于 2 月 25 日下午对关于修改审计法的决定(草案)进行了分组审议。常委会组成人员普遍认为,修改决定草案已经比较成熟,建议本次会议进一步修改后通过;同时,有些常委会组成人员对决定草案又提出了一些修改意见。法律委员会于 2 月 26 日召开会议,认真研究了常委会组成人员的意见,对草案进行了审议。财经委员会和国务院法制办、审计署的负责同志列席了会议。法律委员会认为,修改决定草案是可行的;同时,提出以下主要修改意见:

一、有些常委委员提出,审计机关应当在保证审计工作质量的同时,提高工作效率。法律委员会经研究,建议在修改决定草案第二十一条中增加规定:"审计机关应当提高审计工作效率。"(建议表决稿第二十一条第二款)

二、修改决定草案第二十四条中规定,"审计机关按照审计署规定的程序对审计组的审计报告进行审议后,提出审计机关的审计报告”。有些常委委员提出，审计机关对审计组的审计报告进行审议时，应当对被审计单位的不同意见一并进行研究。法律委员会经同财经委员会、国务院法制办、审计署研究，建议将上述规定修改为：审计机关按照审计署规定的程序对审计组的审计报告进行审议，并对被审计对象对审计组的审计报告提出的意见一并研究后，提出审计机关的审计报告。（建议表决稿第二十四条）

三、修改决定草案中规定：“本决定自2006年7月1日起施行。”有些常委委员提出，本决定的施行日期应适当提前。法律委员会经同财经委员会、国务院法制办、审计署研究，建议将上述规定修改为：“本决定自2006年6月1日起施行。”

这里还有两个问题需要汇报：

（一）修改决定草案第十条规定：“对国有资本占控股地位或者主导地位的企业、金融机构的审计监督，由国务院规定。”对此，有些常委委员提出了不同意见：有的建议删去“由国务院规定”；有的提出，对国有资本不占控股地位的企业和金融机构，也要纳入审计监督范围。有些常委委员赞成草案的规定。关于这个问题，法律委员会已同财经委员会和国务院法制办、审计署多次作过研究，国务院也有具体规定。鉴此，法律委员会建议对上述规定以不再改动为宜。

（二）有些常委委员提出，这次对现行审计法修改的内容和条文较多，是采取修正案还是修订草案的方式，建议予以研究。法律委员会研究认为，修改现行法律，什么情况采用修正案的方式，什么情况采用修订草案的方式，需要总结立法实践经验，进一步加以规范。这次对现行审计法作修改，建议采取国务院提出的修正案方式。

此外，还对修改决定草案作了一些文字修改。

修改决定草案建议表决稿已按上述意见作了修改，法律委员会建议本次会议通过。

修改决定草案建议表决稿和以上报告是否妥当，请审议。

# 十届全国人大常委会第十八次会议审议审计法修正案(草案)的意见

十届全国人大常委会第十八次会议对审计法修正案(草案)进行了初次审议。委员们认为,审计法颁布实施以来发挥了重要作用。随着情况的变化,对审计法进行修改是必要的。同时,提出以下主要意见:

一、关于审计监督的范围

有的委员提出,草案将审计范围扩得太大,把国有和国有资产占控股地位的企业和金融机构,有国有资产的事业单位,国有企业投资为主的建设项目,以及与这些建设项目直接有关的建设、设计、施工、勘察、监理、采购等都作为审计对象,审计机关没有这么大的力量。对有些项目,特别是对国有企业及其投资的建设项目的审计,可以由社会审计机构来做,不一定要由审计机关全部包下来。有的委员提出,审计机关应当定位准确,主要还是应当对预算执行、财政收支情况进行审计。有的委员提出,国有控股企业的资产一部分涉及财政资金,一部分不涉及,凡是属于财政资金的应当审计,不是财政资金的可不由审计机关审计。有的同志提出,对于财政资金使用以外的事项,可以委托社会机构进行审计。有的委员提出,国有企业的经营活动应由公司法调整,对其监督应充分发挥中介机构的作用,审计机关的权力不宜过于扩大。有的委员提出,按照草案第二条的规定,“有国有资产的事业组织”都属于审计监督的范围,这一范围过大。

属于国家所有的事业组织和只有很少量国有资产的事业组织，应有区别。有的委员提出，审计对象应当限于国有事业单位和公益性事业单位。有些委员建议，将“有国有资产的事业组织”，改为“以财政拨款为主的事业组织”。

有些委员提出，审计工作的主线要围绕财政资金。除国有企业、国家投资建设的项目外，凡是管理、使用财政资金的企业和单位、使用财政资金的项目，即使是非国有的单位，也都应纳入审计范围。有些委员提出，对使用国有金融机构贷款较多的非国有企业，也应纳入审计监督范围。有的委员提出，审计机关除应当对财政预算执行、财政资金使用的合法性进行审计外，还应当加强对其使用效益的审计。有些委员提出，还应当加强对预算外资金收支的审计。有的委员提出，一些部门掌握着财政资金的再分配权，应当对这些部门的审计专门作出规定。

二、关于专项审计

有些委员提出，县级以上人大常委会应当有权要求审计机关对一些重大项目，比如三峡工程和南水北调工程、国债资金的使用等，进行专项审计。建议在审计法第四条中增加一款规定：县级以上人民政府按照本级人大常委会的要求，就特定事项进行专项审计，并将审计结果向本级人大常委会报告。

有的委员提出，增加县级以上人民政府按照人大常委会的要求进行专项审计的规定，涉及立法依据问题。在宪法和有关法律中没有相关规定。对政府决定的事项，人大能否提出审计的要求，需要研究。

三、关于审计报告

一些委员提出，国务院向全国人大常委会提交的审计工作报告，对财政收支、财务收支的违规违纪行为反映较多，对预算执行情况反映较少，重点不突出，应当将审计工作报告改为对财政收支平衡、重点支出、财政转移支付、国债和超收收入使用等预算执行情况的审计结果报告。有的委员提出，人大及其常委会审查和批准政府预决算，而审计报告对预决算的审计情况反映很少，财经委和预工委对预决算进行初步审查时缺少根据，预算审查就会流于形式。因此，政府向人大常委会提交的审计报告应是反映财政预算执行情况的审计结果报告。

有的委员提出，将“审计工作报告”改为“审计结果报告”，用意是好的。但审计机关没有能力每年对所有政府部门和企事业单位作全面审计，并提出审计结果报告，因此还只能是“工作报告”。这件事涉及人大监督问题，包含审计体制、人大与政府的关系，既要完善、改革，也要慎重。有的委员提出，国务院向全国人大常委会报告审计工作，涉及我国的审计体制。我国宪法对审计署的职责作了专门规定，强调审计署受国务院总理领导。审计法关于“审计工作报告”的规定，是经过反复研究确定的。对审计体制的修改、完善应当遵循宪法规定的原则。在现行体制下，应当完善审计工作报告，通过增加对预算执行、重点项目支出、转移支付、国债和超收收入使用等方面的审计内容，来加强人大常委会对预算执行情况的监督。有的委员提出，“审计工作报告”涵盖的范围更宽一些，改为“审计结果报告”将会限制审计机关其他职能的发挥。

有的委员提出，审计工作报告应当向人大常委会报告财政收支和预算执行的情况，有些不是人大常委会职责范围的情况不必报告。有的委员建议，将“审计工作报告”改为“审计报告”。

## 四、关于审计机关的职权、派出机构和地方审计机关负责人的任免

1. 有的委员提出，审计机关的职权和监察、纪检部门不同。审计机关的职责只是对财政资金的使用情况进行审计，把客观情况反映出来，对其职权要有明确的界定。

2. 草案第二十条规定：“审计机关对有证据证明被审计单位以个

人名义存储公款的,经县级以上审计机关负责人批准,有权查询被审计单位以个人名义在金融机构的存款。”有的委员提出,采取涉及公民财产、人身自由的行政措施,要特别慎重。建议将经“县级以上”审计机关负责人批准,修改为“市级以上”;并对滥用这一权力的行为规定相应的法律责任。有的委员提出,查询个人账户要保护个人隐私。有的委员提出,个人存款受法律保护,不能由审计机关自己批准自己查。有的委员建议通过司法程序予以批准。

3. 有些委员提出,草案将现行的审计特派员制度改为设立派出机构,不符合精简机构、提高行政效率的改革要求,建议维持审计法关于审计特派员的规定。有的委员建议,将“设立派出机构”修改为“派出审计特派员或者设立派出机构”。有的委员建议明确派出机构是临时性机构。有些委员提出,设立派出机构不应由审计机关自己决定,而应经本级人民政府批准。

4. 草案第五条规定,县级以上地方审计机关正职、副职负责人的任免,必须经上一级审计机关同意。有些委员提出,这一规定在实践中容易发生扯皮。对地方审计机关负责人的任免,应当与事权一致起来,以地方政府为主。建议将“必须经上一级审计机关同意”,改为“应当征求上级审计机关的意见”;有的同志建议改为“向上一级审计机关备案”。有的委员建议删去这一规定。有的委员提出,地方审计机关负责人的任免报经上一级审计机关同意,可以减少地方政府对审计工作的干扰,有利于审计机关履行审计职责。

5. 有的委员建议,在草案第二十二条关于审计机关可以提请公安、监察、财政、税务等机关予以协助的规定中增加“经同级政府批准”。

### 五、关于审计报告审议委员会

草案第二十五条规定,审计机关设立审计报告审议委员会,审议审计报告,其组成和工作程序,由审计署规定。

有些委员提出,审计报告审议委员会是审计机关的内设机构,其组成和工作程序也由审计署规定,没有必要在审计法中规定,建议将这一条删去。

有的委员建议将这一条修改为,审计机关设立审计报告审议委员会,审议审计报告和审计决定书,其组成和工作程序,由同级人民代表大会或者同级人民政府规定。

有的委员提出,审议委员会应当有审计机关以外的专家参与,以体现其独立性和公正性。

## 六、关于增强审计工作的透明度

有些委员提出,对使用财政资金的部门和重点行业的审计结果,除涉及国家秘密的外,都应当公开,这样有利于增强审计工作的透明度,加强人民群众对政府工作的监督。有的委员建议,将审计法第三十五条“审计机关可以向政府有关部门通报或者向社会公布审计结果”中的“可以”改为“应当”。

有的委员建议,在审计法第四条中增加规定:“国务院和县级以上地方人民政府应当将审计发现的问题的整改情况向本级人民代表大会常务委员会报告”,以加强人大对审计整改、处理情况的监督。

## 七、关于审计机关对社会审计机构的监督

草案第十七条规定:“依照国务院规定,审计机关有权对社会审计机构的相关审计报告进行检查。”

有的委员提出,审计机关的主要职责是对政府内部的预算单位进行审计,不宜涉及对会计师事务所等社会审计机构的行政管理。同时,根据注册会计师法的规定,注册会计师行业由财政部门管理。为了避免对注册会计师行业的重复检查和多头管理,建议对这一规定再予推敲。

有的委员提出,审计机关对社会审计机构进行监督是必要的,否则社会审计机构就没有部门来监督。有的委员建议将这一条修改为:“审计机关对依法独立进行社会审计的机构进行指导、监督,有权

对相关的审计报告进行检查。”有的委员建议具体规定审计机关对社会审计机构的监督事项。

### 八、关于审计决定的异议程序

草案第二十八条规定:“对地方审计机关作出的审计决定不服的,应当先向上一级审计机关或者本级人民政府申请复议;对审计署作出的审计决定不服的,应当先向审计署申请复议。”

有的委员建议,进一步明确对审计署的复议决定不服的救济途径。有的委员提出,对复议决定不服的,应当允许向人民法院提起行政诉讼。

有的委员提出,审计机关的审计对象主要是各级人民政府及其部门,政府部门之间的争议应当在政府内部解决,由法院裁决两个政府部门之间的争议,不符合我国的体制和行政复议法的规定。

有些委员建议增加规定,对审计署的复议决定不服的,可以申请国务院裁决,国务院的裁决为终局裁决。

### 九、关于法律责任

有些委员提出,草案有关法律责任的规定多是针对被审计单位的,对审计机关的法律责任规定不够,建议增加。有的委员建议,对审计机关工作人员不履行职责的行为增加法律责任的规定。

有的委员建议,将法律责任一章中审计机关“提出给予行政处分、纪律处分的建议”中的“纪律处分”删去。

### 十、其他意见

1. 有的委员提出,对国有资产占控股地位的企业、政府投资为主的投资项目如何界定和审计,应有更明确的规定。有的委员提出,“控股”包括“绝对控股”和“相对控股”两种情形,“相对控股”在实践中很难把握。建议将草案中的“占控股地位”改为“占绝对控股地位”。有的委员提出,“国有资产占控股地位”的表述不准确,建议改为“国有资本占控股地位”。

2. 有些委员建议,对审计机关工作人员的任职资格作出规定。

3. 有的委员建议,在审计程序中增加审计听证的规定,要求审计机关在作出审计决定前,应当告知被审计单位有申请举行听证的权利,被审计单位提出申请的,审计机构应当及时组织审计听证。

4. 有些委员提出,本法除应当规定国家审计外,还应当包括社会审计的内容。有的委员建议,增加鼓励企事业单位加强内部审计、委托社会审计机构审计的规定,以发挥企业内部审计和社会审计的作用。有的委员提出,应当要求所有政府部门、企事业单位都要进行内部审计,或者委托社会审计机构进行审计,并将审计结果报送审计部门。

# 地方和中央有关部门对审计法修正案(草案)的意见

最近,法制工作委员会将审计法修正案(草案)印发各省、自治区、直辖市、中央有关部门、部分企业和研究机构征求意见。现将主要意见简报如下:

## 一、关于审计监督范围

1. 有的部门提出,国家审计与社会审计之间应有明确的分工和定位,审计机关应重点审计政府部门预算执行和财政资金使用效益,对国有及国有控股企业的审计应主要由社会审计机构来进行,对此已有公司法等相关法律规范。因此,不应将国有控股企业纳入审计监督范围,否则将导致国家审计与社会审计的重复,增加企业和审计机关的负担。同时,考虑到外商投资企业的特殊性,建议增加规定,外商投资企业的审计,法律、行政法规另有规定的,从其规定。

有的部门提出,国有资产监督管理机构承担对国有企业的国有资产管理和财务监督的职责,审计机关在对国有和国有控股企业进行审计时,应当充分考虑与国有资产监督管理机构相关工作的协调。

有的部门、企业提出,国家对国有控股上市公司的管理,应主要通过其控股公司,依据法人治理结构行使股东权利来实现,不宜直接介入公司的管理和运作。国有控股的上市公司已经受到证券监督管理机构、自律监管机构、社会媒体和公众投资者的多重监督,同时接受社会审计机构的独立审计,没有必要再由国家审计机关进行重复审计。否则，不但浪费社会资源，增加被审计单位的负担，而且可能因政府审计和社会审计结果不同，影响证券市场的稳定。因此，建议删去草案中有关对国有资产占控股地位的企业进行审计的规定，或者对国有控股的上市公司作例外规定。有的部门提出，对国有企业的审计，应限于国家直接投资的企业，不宜扩大到国有企业再投资的企业。因此，建议将“国有资产占控股地位的企业”中的“国有资产”定义为国家对企业的各种形式的直接投资。

有的地方和单位提出，国有控股上市公司的权力机构是股东大会，如果未经股东大会批准，审计机关就直接对上市公司进行审计，是否符合有关法律的规定？此外，由于审计机关和社会审计机构的审计依据和标准有很大不同，如果二者对同一家上市公司的审计结果有矛盾，如何协调？建议对上述问题再予研究。

一些地方和单位提出，随着国有企业改革的深入和社会主义市场经济的发展，有些企业的国有资产虽然不占控股地位但数额很大，应加强对这部分国有资产的审计监督。因此，建议将审计监督范围扩大到国有资产不占控股地位的企业，有的地方和单位建议将接受财政补贴的企业纳入审计监督范围。有的地方、建议对使用国有金融机构信贷资金较多的非国有企业进行审计监督。有些地方建议对关系国计民生、对社会公众利益有重大影响的单位的财务收支，进行审计监督。

2. 有的地方提出，审计机关的审计监督与财政、建设部门对建设项目的监督管理职能有交叉，应当明确二者之间的关系。建设部提出，建设项目的招投标程序和中标单位履行合同收取建设项目资金的行为，属于市场行为，由法定的监管部门负责监管。因此，建议删去草案第十一条第二款关于审计机关对与建设项目直接有关的建设、设计、施工、勘察、监理、采购等单位取得的建设项目资金的真实、合法情况进行审计的规定。有的部门提出，依照国家有关规定，对国家重点建设项目以及与之直接有关的建设、设计、施工、勘察、监理、采购等单位取得的建设项目资金的真实、合法情况由审计机关配合稽查特派员进行审计监督。建议在本法中对此予以明确。

一些地方和部门建议,将国有控股企业投资和以国有控股企业投资为主的建设项目纳入审计监督范围。有的地方和部门建议对国有事业单位投资的建设项目进行审计监督。有的地方提出,对使用政府信用贷款、公益性资金的建设项目,应当进行审计监督。

二、关于审计机关的职权

1. 草案第三条规定,“审计机关适用有关财政收支、财务收支的法律、法规和规定进行审计评价,作出审计决定。”有的单位提出,被审计单位的财政收支、财务收支行为都有专门的法律、行政法规如海关法、商业银行法、人民银行法、会计法、税收征管法、企业国有资产监督管理条例等进行调整,这些法律、行政法规都有相应的执法主体。审计机关依据这些法律、行政法规进行处理、处罚,将导致审计机关同相关部门之间的权力冲突,而被审计单位面对多个执法主体也会无所适从。因此,建议对审计机关的处理、处罚权问题再作进一步研究。有的部门提出,审计机关的职能和纪检、监察部门不同,是将被审计单位的财政收支和财务收支的真实情况反映出来。为了保证审计工作的客观、公正,防止出现部门之间的职能交叉,不宜在草案中概括地赋予审计机关行政处罚权,建议删除本法中有关审计机关行政处罚权的规定。有的地方建议将这一条中的“作出审计决定”,修改为“作出审计报告”,以与审计机关的主要职责一致起来。有的部门提出,为防止审计机关与财税部门对财税违法行为处理、处罚权的冲突,建议在本法中明确,对违反国家规定的财政收支、财务收支行为,需要给予处理、处罚的,应当移送法定主管机关进行处理、处罚;没有主管机关的,由审计机关进行处理、处罚。

2. 草案第二十条规定,审计机关对有证据证明被审计单位以个人名义存储公款的,经县级以上审计机关负责人批准,有权查询被审计单位以个人名义在金融机构的存款。有的地方提出,赋予审计机关查询个人存款的权力不利于维护个人储户的合法权益,建议删去这一规定。有的地方和部门提出,查询个人存款应当由审计机关申请法院来进行,而不应由审计机关自己实施。有的地方建议将“经县级以上审计机关负责人批准”,修改为“经上一级审计机关负责人批准”。

草案第二十二条规定,审计机关在审计工作中,可以提请公安、监察、财政、税务、海关、价格、工商行政管理等机关予以协助。有的地方建议增加国有资产监督管理部门作为协助机关。一些地方、部门和单位建议增加规定:“有关机关应当在其职权范围内予以协助”。

## 三、关于审计工作报告

审计法第四条规定,县级以上人民政府应当每年向本级人民代表大会常务委员会提出审计机关对预算执行和其他财政收支的审计工作报告。有的地方建议将本条中的“审计工作报告”修改为“对预算执行情况的审计结果报告”;有的地方建议增加规定,县级以上人民代表大会常务委员会决议要求提交审计结果报告的,审计机关应当提交。有的单位建议增加规定,审计工作报告应当包括但不限于下列内容:预算执行、转移支付、超收收入使用情况以及审计发现的其他重大问题。

一些地方和单位提出,审计机关应当将审计发现的重大问题的整改落实情况向人大常委会报告。有的地方建议增加规定,全国人大常委会和地方各级人大常委会可以要求同级人民政府进行专项审计,并报告审计结果。

## 四、关于审计派出机构和地方审计机关负责人的任免

草案第四条规定,审计机关根据工作需要,经批准可以在其审计管辖范围内设立派出机构。一些地方和单位建议对设立派出机构的批准机关作出明确规定。一些地方和单位建议,设立派出机构应当经本级人民政府批准。有的单位建议在“设立派出机构”后增加“或者审计特派员”。

草案第五条规定,县级以上地方各级审计机关正职、副职负责人

的任命或者免职，在提请决定前，必须经上一级审计机关同意。一些地方和部门建议，将本条中的“必须经上一级审计机关同意”修改为“应当事先征求上一级审计机关的意见”。有的地方和单位建议，将本条中的审计机关负责人限于“正职”负责人。

五、关于审计机关对社会审计机构的监督

草案第十七条规定，依照国务院规定，审计机关有权对社会审计机构的相关审计报告进行检查。

一些地方、部门和单位提出，审计机关对社会审计机构相关审计报告的检查与财政部门对社会审计机构的监督管理相冲突，将导致对社会审计机构的多头监管和重复检查，建议删去这一条规定。

一些地方、部门和单位提出，本条规定的检查对象是作出审计报告的社会中介机构，还是审计报告涉及的企业不明确。国家自然科学基金会提出，“相关审计报告”应当限于“涉及财政收支的审计报告”；有的地方建议将其限于作为审计对象的单位委托社会审计机构出具的审计报告。

一些地方和部门提出，审计机关对社会审计机构的监督仅限于对社会审计机构的相关审计报告进行检查，范围太小，建议扩大。一些地方建议将这一规定中的“相关审计报告”修改为“审计业务质量”。一些地方和单位建议增加规定，审计机关根据检查结果作出相应处理。

六、关于对审计决定异议的处理

草案第二十八条规定，对地方审计机关作出的审计决定不服的，应当先向上一级审计机关或者本级人民政府申请复议；对审计署作出的审计决定不服的，应当先向审计署申请复议。

一些地方、部门和单位建议明确对审计机关的复议决定不服是否可以提起行政诉讼。一些地方、部门和单位建议增加规定，被审计单位对审计机关的复议决定不服的，可以依法提起行政诉讼。有的地方建议增加规定,被审计单位对审计署的审计决定不服的,可以向国务院申请裁决,国务院的裁决为终局裁决。

有的单位提出,应当针对不同性质的被审计单位提供不同的救济途径。政府部门对审计决定有异议的,应当先向审计机关申诉;对申诉决定仍有异议的,可以申请同级人民政府裁决,该裁决为终局裁决,不能再提起行政诉讼。企业事业单位对审计决定不服的,可以申请行政复议,也可以依法提起行政诉讼。有的部门提出,被审计单位对审计决定有异议的,不能提起行政复议或者行政诉讼,而应当通过申请复查来解决。

### 七、关于法律责任

一些地方、部门和单位建议对审计机关怠于履行职责、滥用职权、违反审计程序的行为增加法律责任的规定。

有的部门提出,通报批评不是一种行政处罚,建议删去法律责任一章中的“通报批评”。

一些地方和部门建议将法律责任一章中的“纪律处分”删去。

### 八、其他意见

1. 有的地方建议将草案中的“国有资产占控股地位”,修改为“国有资本占控股地位”。

2. 草案第九条规定,审计机关对有国有资产的事业组织的财务收支,进行审计监督。有的地方和单位提出,“有国有资产的事业组织”的含义不明确,建议修改。一些地方和单位建议修改为“国有资产占控股地位或者以财政拨款为主的事业单位”。有的单位建议修改为“占有、使用国有资产的事业组织”。

3. 一些地方和部门建议对审计机关工作人员的任职资格作出更具体的规定。

4. 有的单位建议,将审计法第三十六条规定的“审计机关可以向政府有关部门通报或者向社会公布审计结果”中的“可以”,修改为

“应当”。有的地方和单位提出，除涉及国家秘密或者商业秘密外，审计机关应当定期向社会公布审计结果。

5. 一些地方、部门和单位建议将草案中的“法律、法规”修改为“法律、行政法规”。

# 中央有关部门和部分企业对审计法修正案(草案)的意见

近日,全国人大法律委、财经委和全国人大常委会法工委联合召开座谈会,征求中央有关部门和部分企业、金融机构对审计法修正案(草案)的意见。现将主要意见简报如下:

## 一、关于审计监督的范围

草案第二条规定,国有和国有资产占控股地位的企业和金融机构的财务收支,依照本法规定接受审计监督。有的部门提出,对所有国有控股的企业和金融机构都进行审计,范围太大,审计机关也没有这个力量。此外,对由国有企业投资设立的企业是否属于审计监督的范围,应予明确。有的部门提出,对国有控股企业和金融机构的审计应经过一定的程序,比如由股东会、董事会作出决议,这样程序上更规范,更能体现对股东权益的尊重。有的部门建议,对"占控股地位"是指绝对控股还是相对控股予以明确。

有的企业提出,政府审计应当主要针对国家机关和国有的企事业单位。将国有控股的上市公司也纳入国家审计监督的范围不妥。一是政府不直接参与上市公司的经营管理,对上市公司国有资产的监督管理,主要通过代表国家履行出资人职责的机构或国有母公司行使股东权利来实现。二是上市公司依法应聘请独立的社会审计机构进行审计并及时披露,如果再对上市公司进行国家审计,两种审计并举,与上市公司管理制度不符,如果两家审计结果不一致,也不好处理。有的部门提出，目前审计机关不直接审计上市公司，只是在审计其国有母公司时延伸至上市公司。政府审计监督的范围不宜扩大到国有控股的上市公司。

有的部门提出，目前审计机关对中外合资、合作企业是不进行审计的，如果本条中的国有控股企业包括中外合资、合作经营企业，则应当设置一定的程序，既达到审计的目的，也不影响企业的正常经营，否则会影响境外投资者的利益。此外，中外合资、合作企业的主要负责人可能是外国人，不可能对其进行经济责任审计。因此，建议对涉及中外合资、合作企业的审计问题再作进一步研究。

草案第十一条规定，审计机关对政府投资和以政府投资为主的建设项目进行审计监督。有的部门提出，按照国务院关于对国家重点建设项目实行稽查特派员制度的规定，审计机关是配合稽查特派员对国家重点建设项目进行审计监督，建议在本法中对此予以明确，处理好重点项目稽查与审计监督的关系。

## 二、关于审计机关的处理、处罚权

有的企业提出，按照草案第三条关于审计机关适用有关财政收支、财务收支的法律、法规和规定作出审计决定的规定，以及第二十六条关于审计机关对违反规定的财政收支、财务收支的行为需要依法处罚的，作出审计决定的规定，是否意味着审计机关可以直接作为包括预算、会计、税收、海关等有关财政收支、财务收支的法律、法规的执法主体，对违反有关预算收支、会计制度、税款（包括关税）征缴的行为实施行政处罚。如果这样规定，会造成部门之间的处罚权交叉，容易形成执法混乱。有的部门提出，审计机关的职责应限于通过审计调查进行审计评价，提出审计报告，其作用应体现在对侵害国有财产行为的揭露上，权威性体现在审计结果的客观性、公正性上。对审计查出的违反财政收支、财务收支的行为，应由法律、法规规定的有关部门根据审计报告进行处理、处罚。是否有必要赋予审计机关行政处罚权应再作研究。

草案第二十条规定，经县级以上审计机关负责人批准，审计机关有权查询被审计单位在金融机构的账户和被审计单位以个人名义在金融机构的存款。有的部门提出，草案规定的审计机关查询被审计单位的账户的批准层级过低，建议改为“经设区的市级以上审计机关负责人批准”。有的部门提出，审计机关实施审计检查的时效性不是很强，对其查询个人账户应从严控制，以保障存款人的利益和银行信誉。建议修改为对被审计单位以个人名义在金融机构的存款，由审计机关申请法院查询。

三、关于对审计决定有异议的应如何处理

草案第二十八条规定，对地方审计机关作出的审计决定不服的，应当先向上一级审计机关或者本级人民政府申请复议；对审计署作出的审计决定不服的，应当先向审计署申请复议。有的企业、部门提出，建议明确对复议决定不服的，可以向人民法院提起行政诉讼。有的部门提出，审计机关与作为审计对象的政府及其部门之间的争议，应当在政府内部解决，不应适用行政复议法的规定，建议将这一条中的“复议”，修改为“复查”或者“复核”。

四、关于审计机关对社会审计机构和单位内部审计工作的监督

草案第十七条规定，审计机关有权对社会审计机构的审计报告进行检查。有的单位提出，作为社会审计机构的注册会计师事务所并没有国家投资，将其纳入审计机关的监督范围，超出了宪法规定的审计监督范围。审计机关对社会审计机构的审计报告进行检查，与注册会计师法有关财政部门负责对会计师事务所的执业进行监督管理的规定相冲突，容易造成多头监管，不符合行政管理制度改革的要求。我国原由审计机关管理的审计师事务所已全部改为会计师事务所，审计师协会也并入注册会计师协会，依照注册会计师法的规定由财政部门负责监管，审计机关不宜重复监督检查，建议删去这一规定。

草案第十六条规定,审计机关对内部审计工作进行指导和监督。有的部门提出,依照银行业监督管理法的规定,银行业监督管理机构对商业银行内部审计工作负有指导和监督的职责,应建立二者的协调机制。

# 附录三：境外有关规定

## 德国、法国和俄罗斯<br>审计制度的有关情况

2005年5月下旬，国家审计署组团赴德国、法国和俄罗斯，对三国审计制度的有关情况进行考察，经济法室的有关同志参加了考察。考察期间，考察团分别走访了德国巴登—符腾堡州审计署、法国众议院预算工作委员会、俄罗斯联邦审计院。现将三国审计制度的有关情况简报如下：

一、三国审计机关的概况

1. 德国最高审计机关是联邦审计院，既不隶属于议会，也不隶属于政府部门，是一个独立的国家机关，依照法律规定行使审计权。联邦在16个州分别设立审计院，各自独立。联邦审计院院长和副院长由总理提名，联邦议会根据总理的提名，采取无记名投票并以多数票通过的方式进行选举后，由联邦总统任命，不能连选连任。院长和副院长为有任期的公务员。院长和副院长的任职时间为十二年。联邦审计院的其他成员由院长提名、总统任命。审计院成员享有与联邦法院法官一样的独立性，不得任意罢免或调离。审计院对于审计结果涉及的违法行为没有直接处理权和司法审判权。德国在2003年全年的审计金额为5000多亿欧元，其中联邦审计院审计金额为2600亿

欧元。

2. 法国的审计制度起源于1807年的拿破仑法律,有独立的审计系统,审计法院成立于1807年。根据宪法的规定,审计法院独立于政府和议会,是独立的具有司法性质的审计机关。除具有审计职能外,还拥有一定程度的独立司法权,协助议会监督政府各部门遵守财政法规的情况,并向议会提交审计报告。院长、各法庭庭长和高级法官均由内阁会议通过决议,总统任命。院长的任期为终身制,兼任财政与预算纪律法院院长、国家税收委员会主席等职。其他法官由财政部长提名、总理会签、总统任命,任期也是终身制。审计法院下设7个法庭和若干综合部门。另外在本土和海外领地设立26个独立的地方审计法庭。审计法院还设总检察长,有三名助手协助其工作。总检察长是由政府挑选任命的,是政府的司法代表,不具有法官身份,也不是终身制。总检察长行使监察院的权力,参与并监督审计法院的工作,协调审计法院与政府各部门的关系并对审计结果的统一性进行监督。

3. 俄罗斯根据1993年联邦宪法的规定,于1995年由议会设立联邦审计院,作为常设机构行使监督权。按照法律规定,原来审计院院长由国家杜马任命,2004年进行了改革,改为由总统提名,国家杜马进行选举、任命,任期六年;审计院的副院长由联邦国民议会推荐、任命,任期六年。根据宪法规定,审计院共有12个审计官,其中6个审计官由联邦国民议会任命,另外6个审计官由国家杜马任命。现任主席谢尔盖·斯捷帕申,任期六年。

## 二、关于审计范围

1. 德国审计院依照法律规定,审计范围如下:(1)对联邦预算和联邦资产进行审计。(2)对联邦直属管理部门和联邦企业、联邦直属公法人进行审计。(3)对联邦管理以外的部门进行审计,包括:部分执行联邦预算,或从联邦得到费用补偿的部门;管理联邦资金或资产物资的部门;从联邦得到资助的部门;作为私法法人,有联邦直接或间接参股(包括独立财产基金),不参与竞争,只根据规定完全或主要是为了完成公共任务,或者为此目的而得到联邦的预算资金或担保的部门。如果这些部门将资金转给第三方,那么联邦审计院也可审计第三方。(4)在尊重商业原则的情况下审计联邦在私法企业的直接或间接参股活动。这一规定也适用于联邦作为成员的行业和经济合作社。

2. 法国审计法院依法对政府各部门及其公共机构、接受财政拨款的企业和机构、社会保险机构、国有企业及国家参股企业、享受国家补贴或税收优惠的企业进行审计。凡经营活动不受公共财会法规限制,而从国家或其他接受审计法院监督的法人那里享受附加税、捐助、补贴或其他财政资助的机构也应为审计法院的审计对象,如向不受公共财会法控制的机构提供补贴或投资,则这些接受补贴或投资的机构也属于审计法院审计的对象。法律上虽然赋予审计法院对国有、非国有混合所有制的企业进行审计的权力,但是审计法院很少对这类企业进行审计。

3. 俄罗斯联邦审计院根据法律规定,审计权限包括对所有国家机构(含其办事处)和联邦团体、组织的审计,也包括对联邦特别预算资金的审计;对接受和使用联邦财政预算资金、使用和管理联邦财产、免除对联邦的债务、享受联邦法律或联邦机构赋予的税收和关税减免及其他优惠政策的地方政府机构、各种类型和所有制形式的企业、组织、银行、保险公司、其他金融信用组织和各类联合体的审计;对使用联邦财政预算资金、使用和管理联邦财产、享受联邦法律或联邦机构赋予的税收和关税减免及其他优惠政策的公共团体、非国有基金、非国有非盈利性组织的审计。由于俄罗斯私有化的改革还在进行之中,有些财产很难认定。有些虽然有国有成分,但不能确认国有成分占多少,这给审计带来许多困难。按照法律规定,不论国有成分占多少,只要有1%,审计院就可对其进行审计。但在实际工作中,审计院主要是对与国家经济生活关系重大、影响国民经济运行的企业进行审计,至于对其他的国有参股、国有控股企业则很少进行审计。

三、关于审计内容

1. 德国审计的内容,包括为预算执行和非预算资金管理所颁布的规定和基本原则是否得到遵守,尤其是是否遵守了预算法和预算计划,即合规性审查;收入和支出是否合理,是否有据可查,是否规范列出了预算决算和资产决算;工作是否符合经济性和节约性原则;是否能用更少的人力或物力,或者能用其他方式来更有效地完成工作任务;是否按照规定和经济性原则来管理和使用资金。比如,某大学建造了一个面积为 36 平方米的温室,按照标准测算只能花费 3 万欧元,但是实际上花掉了 31 万欧元。审计院接到举报,对该大学进行了审计,该大学对此的解释是,温室中将要放的植物非常贵重,因而温室的造价较高。审计院认为这一理由站不住脚,因而将此写进审计报告。

2. 法国审计法院的审计内容,包括被审计机构的全部账目和经营活动,如果所提供附加税、合法捐助或补贴等财政资助用于限定的支出,支出数额不超过受资助单位资助金额的 1/2,则只审计受资助机构所建立的受资助账目。如果该机构未建立此项账目,审计法院应审查该机构的全部账目及经营活动。审查社会保险机构给予各机构、慈善团体或部门的财政资助,不论其财政资助的方式、付款方式及金额如何。

3. 俄罗斯审计院的审计内容,包括联邦预算收入的完整性和及时性、实际支出与预算的一致性以及联邦预算外基金的数目、结构和用途;国家资金的支出和联邦财产使用状况的效用性和适宜性;联邦预算草案和预算外资金收入和支出项目的合法性。联邦对内外债的管理情况,联邦政府从外国政府和金融组织获得无息或有息贷款使用的合法性、合理性和效果性,由中央统一负责的还款资金落实情况等。

## 四、关于审计结果

1. 德国联邦审计院依法向议会提供咨询，并提出审计报告，联邦审计院通过向议会提出并发布审计报告来发挥自己的监督作用。除了随时向议会和政府提出由议会协调处理的专项的特别审计报告外，联邦审计院每年7月份要写出年度审计报告递交议会和联邦政府，同时，召开新闻发布会，由审计院长将年度审计报告中有关重点内容在电视上播放，向社会公布并在公开刊物上登载。联邦议院根据审计院的审计结果批准政府决算。

2. 法国审计法院同时向总统和议会提交年度审计报告，并在政府公报上刊载。审计报告不需要议会通过。

3. 俄罗斯审计院应当向联邦国民议会和国家杜马报告审计检查的结果，使其了解相关联邦机构、团体、企业组织存在的主要问题。审计院每年向联邦国民议会和国家杜马提交年度审计工作报告，并通过新闻媒体向社会公布，涉及国家秘密的除外。审计院根据本年度的审计结果，要向议会提出下一年度财政预算的建议。

# 一些国家、地区的法律关于审计机关对审计发现的问题应如何处理的规定

一些国家、地区的法律规定,国家审计机关的职责是依法进行审计监督,向有关机关提出审计结果报告,对于审计中发现的违法问题,由其他有关机关进行处理、处罚,审计机关不直接处理、处罚。也有的国家、地区(主要是审计机关为审计法院的国家、地区)规定,审计机关除了向有关机关报告审计结果外,还可以直接对审计查出的有些违法行为作出处理、处罚。

## 一、审计机关提交审计报告,审计查出的问题由有关部门处理、处罚

俄罗斯联邦审计院法规定,审计院应当向联邦议会和国家杜马报告审计检查的结果。审计院可以要求联邦国家权力机构、被审计团体、企业、组织的负责人,采取措施纠正违法行为并要求其对违反联邦法律和管理不善的工作人员依法进行处理。

德国联邦审计院审计条例规定,联邦审计院应当将经审计查明的客观事实、对事实的评价、作出的结论以及如何改正缺陷的建议以审计通告的形式送达被审计单位以及负责监督的上级部门或者职能部门。

加拿大审计长法规定,审计长可以将检查中发现的问题,通知公共服务部门的有关官员和雇员,特别是提请从事财政委员会业务的

官员和雇员的注意。

我国台湾地区“审计法”规定，审计机关发现被审计单位人员有财务违法行为时，应当通知被审计单位的负责人予以处理，并由审计机关报请“监察院”依法处理；如果违法行为人是被审计单位的负责人，则通知其上级机关执行处分。

## 二、审计机关对审计查出的有些问题可直接作出处理、处罚

日本会计检查院审计法规定，会计检查院在审计过程中如果发现违法或者不当的财务交易行为，有权立即对此提出意见或者要求相关人员采取适当方法予以纠正和改善。会计检查院通过审计发现，由于处理财务交易的官员故意或因重大疏忽造成国家财产严重损失，会计检查院可以对其部门负责人或其上级领导进行处分。掌管现金、财物的官员丢失现金或者财物，会计检查院应当通过检查是否由于其工作疏忽造成来判定是否需要承担赔偿责任。

## 三、审计法院的处理、处罚权

有些设立审计法院的国家，审计法院属于司法机关，依照司法程序行使审判职能。审计法院对于审计中发现的违法行为，有权依法予以处理、处罚。

例如，法国审计法院法规定，审计法院对有关的公共账目进行审计，公布审计结果，并对查出的违法行为依照有关法律的规定宣布处罚判决。

葡萄牙审计法规定，审计法院对公共资金的收支进行合法和合规审计，对财务管理进行效益审计，追究违反财经法规的责任。审计法院设立专门法庭负责司法审计和判处罚款，针对违法支付和挪用专款或者资金的行为，可以判令责任人归还上述款项；针对被审计单位没有把应缴的收入上缴国库，违反法规规定和预算执行，违反法规下达支付命令或发出承诺，违反预算控制、司库和资产法规等行为，审计法院有权直接判处罚款。

罗马尼亚会计法院组织和运作法规定，行政负责人、管理人员和会计以及其他依法应受会计法院管辖的人员，如果造成损失或者违反财务规定，会计院司法委员会有权作出民事赔偿或者罚款的判决和决定。

# 一些国家、地区的审计法关于审计机关对企业审计的规定

## 一、对全部资本都属于国家投资的企业进行审计监督

美国、意大利、埃及、印度、以色列、葡萄牙、阿根廷、西班牙等国家的审计法都规定,国家审计机关有权对全部资本都属于国家投资的企业进行审计监督。

## 二、对有部分国有资本的企业的审计监督

有些国家和地区的审计法规定,审计机关还可以对有部分国有资本的企业进行审计监督。

1. 对纳入审计监督范围的企业中国有资本所占比例未作限制。

美国规定,政府合资公司在政府资本投入的每个期间的财务活动均受审计。蒙古规定,国家审计机关对部分拥有国家财产的法人进行审计。以色列规定,政府持有股份的企业是审计长的审计对象。

2. 只对国有资本占控股或主导地位的企业进行审计监督。

土耳其规定,审计法院对政府部门所控股的机构和企业进行审计。德国规定,如果一个企业的多数股份属于某一“行政区域实体”,审计机关可以对该企业进行审计监督。葡萄牙规定,审计法院对公共资金占主导地位的公司和公共资金数额并非占主导地位,但公共资金能够直接控制管理的公司进行审计监督。奥地利规定,审计法

院对联邦政府单独或同那些接受审计法院监督的法人单位共同拥有50%以上资本的企业进行审计监督。冰岛规定,国家审计署对政府持股占50%以上的公司或组织的账目进行审计。

3. 审计机关除对国有资本控股的企业进行审计监督外,也可以对其他有国有资本的企业进行审计监督。

日本规定,会计检查院对国家投资占资本总额50%以上的法人会计事项进行审计;会计检查院如果认为必要,或应国会要求,可以对国家资本占50%以下的参股公司的会计事项进行审计。韩国规定,监察院检查中央、地方政府持有一半以上投资的法人账目;监察院如果认为有必要,或应总理的要求,也可以检查中央或地方政府持有部分投资的单位的账目。我国台湾地区"审计法"规定,政府与人民合资经营且政府资本超过50%的公有营业及事业机关,应经审计机关审计;审计机关对公私合营的事业可以参照审计法的规定进行审计。

4. 审计机关对有国有资本的企业所投资的企业也可以进行审计监督。

韩国规定,国有控股或国有参股单位所转投资的单位的审计,也在监察院的审计权限之内。我国台湾地区"审计法"规定,审计机关对政府独资公司或政府控股公司所投资的单位且转投资的资本额超过被投资企业资本50%的,有权进行审计。

## 三、审计机关可以对接受政府资金援助或担保的企业进行审计

日本规定,会计检查院如果认为必要,或应国会要求,可以对直接或间接使用国家补贴、资助以及贷款等财政援助的单位的会计事项进行审计。韩国规定,监察院如果认为有必要,或应总理的要求,可以检查中央或地方政府担保贷款的单位的账目;可以检查中央、地方政府直接或间接给予补贴、援助性拨款的单位的账目。以色列规定,经过审计长批准,直接或间接接受过政府、国有企业、国有机构、

地方政府、政府公司等以拨款、担保或类似方式资助的企业,可以成为审计对象。我国台湾地区“审计法”规定,审计机关对接受公款补助的私人团体应进行审计,可以参照“审计法”的规定执行。